D0508214

TE VEEL GEZIEN

Nugi 222/R049501

Published by arrangement with Scholastic Inc.
Oorspronkelijke titel: Silent Witness

Nederlandse vertaling: Tini Hoekstra

TE VEEL GEZIEN

CAROL ELLIS

Illustraties
MAURICE HEERDINK

KLUITMAN

A. Bates. Verdwenen

★

Richie Tankersley Cusick. De strandwacht

★

Richie Tankersley Cusick. Ben ik de volgende?

★

Richie Tankersley Cusick. Een wurgende omhelzing

★

Carol Ellis. Wat moet hij van me?

★

Carol Ellis. Het raam

★

Carol Ellis. Te veel gezien

★

Diane Hoh. De getuige

★

Diane Hoh. De moordexpress

★

R.L. Stine. De babysitter

★

R.L. Stine. De sneeuwman

★

R.L. Stine. De waarschuwing

★

R.L. Stine. Het verlaten strandhuis

★

R.L. Stine. De lifter

HOOFDSTUK 1

Paula Martins werd midden in de nacht wakker met een radeloze uitdrukking op haar gezicht. Ze hoorde het ritmisch stuiteren van een basketbal. Haar buurjongen, Alan Andersen, stond op het garagepad te basketballen. Als Paula zat te leren en het niet erg lukte, werd ze gek van dat voortdurende gebonk.

Maar het geluid was deze keer niet echt. Alan was namelijk drie weken geleden begraven.

Ik heb weer zo'n afschuwelijke nachtmerrie gehad, wist Paula, terwijl ze rechtop ging zitten en in het donker met haar ogen knipperde. Van alle dingen die ze zich van Alan herinnerde, bleef het geluid van de basketbal haar het meeste bij, zelfs als ze sliep.

Alan en zij hadden de laatste tien jaar naast elkaar gewoond. Ze waren meer dan alleen buren geweest. Paula had haar buurjongen bijna als een broer beschouwd. Soms plaagde hij haar, maar meestal vrolijkte hij haar op, als ze een proefwerk slecht had gemaakt, bijvoorbeeld.

En opeens was Alan er niet meer.

Alans dood was volkomen onverwachts gekomen. Alan was in z'n eentje gaan wandelen over een hoge, afbrokkelende dam. Stom natuurlijk, maar iedereen liep er overheen. Alleen, Alan was gevallen. En tegenwoordig ging niemand daar meer wandelen.

Als hij aan een ongeneeslijke ziekte was overleden, zou het dan gemakkelijker geweest zijn om eraan te wennen dat hij er niet meer was?

Misschien, maar dan nog zou Paula hem vreselijk

missen. Zelfs zijn geplaag.

Paula keek op de wekker en probeerde niet verder te piekeren. Het was pas vier uur in de morgen. Buiten was het aardedonker. Mickey, haar grijs met witte kat, tilde zijn kop op en keek Paula vanaf zijn plaatsje op het voeteneind aan. Was ze van plan hem nog langer te storen of hield ze zich rustig? Paula draaide haar kussen om en ging weer liggen, maar de slaap wilde niet meer komen.

Het was niet de herinnering aan een geluid die haar wakker hield. Het was iets anders. Geen fantasie of droom, maar werkelijkheid. Het stond al twee weken in de hoek van haar kamer stof te verzamelen.

„Je moet er toch een keer in kijken," zei Paula tegen zichzelf. „Als je het hebt gezien, zal er hopelijk een eind aan die nachtmerries komen."

Het was eind oktober en ijskoud in de slaapkamer. Paula gooide het dekbed van zich af en deed haar badjas aan. Vervolgens trok Paula een paar warme sokken aan en liep naar het raam, dat uitkeek op de zijkant van het huis van de familie Andersen. Ze had haar rolgordijn niet naar beneden gedaan en ze kon het huis nu goed zien. Maar wat was dat nu? Het leek wel of er een lichtje te zien was bij de buren. Het scheen door een kier in de jaloezieën voor het raam van de huiskamer.

Aandachtig staarde Paula naar het raam. Brandde er echt licht? Dat kon helemaal niet. Paula wist dat Alans ouders niet thuis waren. Ze waren op reis in de hoop om op deze manier een deel van hun verdriet te verwerken.

Paula keek wat aandachtiger, tot het raam door haar adem besloeg. Ze veegde het schoon en keek nog eens. Nu zag ze niets anders dan het donkere huis. Donker en geen licht achter de jaloezieën.

Een geest, dacht Paula. Net als het geluid van de basketbal. Er was maar één manier om van die waandenkbeelden af te komen.

Ze liep weg bij het raam en ging naar de deur. Ze knipte de lamp aan. Het licht viel ook in de hoek, waar al twee weken lang een grote kartonnen doos stond.

Paula ging er op haar knieën voor zitten en dacht terug aan de dag waarop ze de doos had gekregen.

Het was een week na Alans begrafenis geweest toen er werd aangebeld. Paula had opengedaan. Mevrouw Andersen had op de stoep gestaan met een doos in haar handen.

Paula had Alans moeder sinds de begrafenis niet meer gezien. Ze was een kleine vrouw met heldere, bruine ogen, net als Alan. Die dag stonden ze niet helder.

„We gaan een tijdje op reis," had mevrouw Andersen verteld, nadat Paula haar binnen gevraagd had. Ze had de doos in de gang gezet en Paul met betraande ogen aangekeken. „Ik wilde je een gunst vragen, Paula."

Paula had geknikt en vanuit haar ooghoeken naar de doos gekeken.

„Zeg het maar als het te veel gevraagd is," was mevrouw Andersen verder gegaan. „Ik heb Alans kasten nagekeken. Natuurlijk wil ik het een en ander bewaren. Ik wil ook graag wat van zijn spullen aan zijn beste vrienden geven, maar ik kan het niet opbrengen om ze allemaal op te bellen en hun te vragen wat ze willen hebben. Dus dacht ik dat jij dat misschien zou willen regelen. Dan kun je zelf als eerste iets uit de doos halen, als je tenminste wat wilt hebben. De rest mag je dan aan de anderen geven."

De rillingen waren Paula over de rug gelopen. Ze had Alans moeder echter niet meer van streek willen maken dan ze al was en zei: „Ja, natuurlijk. Dat doe ik graag voor u."

Dat was natuurlijk een leugen geweest. Ze deed het helemaal niet graag. Ze wilde niet eens naar de spullen kijken. Daarom had ze de doos in een hoek van haar kamer gezet. Ze had er nog niet in durven kijken.

Paula zuchtte en schold zichzelf uit voor lafaard. „Als Alans moeder het op kon brengen die dingen in een doos te doen, kun jij er ook wel naar kijken en aan de anderen doorgeven."

Er klonk een zachte plof bij het bed. Spinnend kwam Mickey naast Paula staan. De kat wreef tegen haar been. Paula krabbelde hem even tussen zijn oren, maakte de doos open en begon de spullen eruit te halen.

Drie posters, een van een bekende hardrockzanger en twee oude filmposters kwamen als eerste uit de doos tevoorschijn.

Vijftien stripboeken, een basketbal en nog wat meer spullen die volgens Paula weinig waarde hadden. Plotseling viel haar oog op een videoband. Alan had van zijn zelf verdiende geld een videocamera gekocht, die hij overal mee naartoe nam.

Ze pakte de videoband en bekeek hem. Op de cassette zelf was nergens een titel te bekennen, er zat alleen een z-vormige kras op.

Een beetje verbaasd stond Paula op. Ze sloop de trap af en liep naar de woonkamer. De kat liep zachtjes met haar mee. Paula deed een lamp aan, schakelde de tv en de video in, en installeerde zich in een gemakkelijke stoel om Alans video te bekijken.

Het begon met de auto-wasdag, die ze in de lente georganiseerd hadden. De opbrengst van die dag was bestemd voor een kinderziekenhuis in de buurt. Veel jongelui waren net zo nat geworden als de auto's die ze moesten wassen. Jenny Berger, Paula's beste vriendin, kwam in beeld terwijl ze de slang op Paula richtte. De camera draaide naar Robert Owen, die het verkeer stond te regelen. Hij had het auto wassen georganiseerd. Robert deed overal aan mee. Hij had een aparte agenda nodig om al zijn aktiviteiten te noteren.

Er stond geen geluid op de band en Paula herinnerde zich opeens dat Alan gemopperd had omdat het geluid van zijn camera kapot was gegaan.

Het auto wassen ging een paar minuten door en daarna veranderde het beeld. Er liepen mensen in een straat. Sommigen leken zich niet op hun gemak te voelen door de camera, anderen maakten er een ongeduldige, slaande beweging naar.

Hierna volgde weer een andere opname. Een tuinfeest bij Alan; een trillerige opname van Susan Gold en Bob Forest, die met de armen om elkaar heen geslagen aan het dansen waren. Tengere Susan en stevige

Bob, het verliefde stel. Ze gingen al heel lang met elkaar. Paula vond hen alle twee even aardig, al kende ze hen niet zo goed.

Vervolgens nog meer straatopnames. Daarna een heleboel trillerige beelden van boomtoppen en de lucht. Alan had vast op zijn rug gelegen.

Paula gaapte. Het was even na vijven. Ze kon nog een paar uurtjes slapen als ze meteen onder zeil ging. Ze gaapte nog eens, zette de televisie en de video uit en liep naar boven. Mickey lag al op haar bed, opgerold als een bal.

Buiten begon de duisternis te veranderen. Straks zou het gaan schemeren en licht worden. Paula liet het rolgordijn zakken, deed haar badjas uit en ging met haar rug naar het raam liggen.

In het huis van de buren gleed achter de jaloezieën een dun lichtstraaltje van kamer naar kamer, een klein zoeklicht in het duister. Als Paula voor het raam had gestaan, had ze het zeker gezien.

Maar Paula was in slaap gevallen.

HOOFDSTUK 2

Op Bridgetown High, Paula's school, nam Paula later die ochtend een grote plastic tas van de ene in de andere hand. Ze veegde wat regendruppels van haar haren. De duisternis van de afgelopen nacht was in grijs over gegaan. Er viel een druilerige motregen.

„Heb je nu al boodschappen gedaan?" vroeg Jenny, met een nieuwsgierige blik op de tas. „Het is pas half negen."

„Ik heb geen winkel van binnen gezien," antwoordde Paula. De twee vriendinnen liepen naar hun kluisjes. „Dit zijn wat spullen die Alans moeder me heeft gegeven. Dat heb ik toch verteld?"

Jenny knikte. Haar haren, bijna even lang en van dezelfde tint lichtbruin als die van Paula, zwaaiden naar voren over haar schouders. „Heb je eindelijk in de doos gekeken?"

„Het was niet zo erg als ik gedacht had," vertelde Paula. „Misschien wel omdat ik het vannacht om vier uur gedaan heb en ik te slaperig was om van streek te raken."

„Wat zat er allemaal in?"

„Stripboeken, zijn basketbal, een stel posters," vertelde Paula, „en cd's, en nog een videoband, maar niet zoals jij ze maakt," voegde ze er vlug aan toe. Jenny zat bij de videoclub van hun school en wilde later ook regisseur worden. „Ik heb al een klein stukje van die band bekeken. Hij is wel leuk. Alan heeft het auto wassen gefilmd, zijn tuinfeest, een groep mensen op straat en meer van dat soort dingen."

Jenny knikte. „Iedereen werd stapelgek van Alan met zijn camera."

„Maar er staat geen geluid op die band. Je kunt niet horen wat ze zeggen," zei Paula. „Die band wil ik zelf houden, en ook een paar cd's. De rest heb ik meegenomen." Ze zette de plastic tas neer. „Heb je zin om te kijken of er wat voor je bij zit?"

Terwijl Paula haar jas ophing en in haar kluisje rommelde op zoek naar een schrift, ging Jenny op haar hurken zitten en keek in de tas.

„Het is een raar gevoel," mompelde ze. „Om zo tussen Alans spullen te snuffelen, bedoel ik."

„Waarom denk je dat ik het steeds uitstelde?" vroeg Paula. Ze had het schrift eindelijk gevonden en trok het naar buiten. Daarbij gooide ze per ongeluk haar oude blauwe regenjack op de grond. Ze had onderweg naar huis in de stad een nieuw gekocht, een vuurrood jack, toen ze dit blauwe op een regenachtige dag in september in haar kluisje had laten liggen.

„Hé, kan ik dat lenen?" vroeg Jenny, terwijl ze ging staan. „Ik moet straks in de pauze mijn fiets naar de fietsenmaker brengen. Dan moet ik terug lopen en het ziet ernaar uit dat het gaat gieten." Buiten rommelde de donder als een soort bevestiging.

„Je mag hem wel houden," zei Paula. Ze raapte het blauwe jack op en gaf het aan Jenny. „Ik heb een nieuw gekocht. Wat heb je uitgekozen?" vroeg ze, kijkend naar de cd's in Jenny's hand.

„Alleen deze twee." Jenny hield de cd's omhoog. „Eigenlijk ben ik er niet zo heel erg weg van, maar ik wil gewoon een herinnering aan Alan hebben."

„Ik snap het," knikte Paula. Ze voelde de tranen in haar ogen springen en knipperde ze vlug weg. „Hoef je geen poster?"

Jenny schudde haar hoofd, terwijl ze haar eigen tranen weg boende. „Mijn moeder ziet me aankomen. Nog meer troep op mijn kamer! Maar ik moet opschieten," voegde ze eraan toe toen de bel ging. „Hé Paula, als je klaar bent met die videoband wil ik hem ook graag eens zien."

„Dat willen de anderen vast ook wel," merkte Paula op.

„Geef hem eerst maar aan mij." Achteruit lopend, was Jenny al halverwege de gang. „Misschien kan ik hem kopiëren op een andere band en er muziek bij doen. Dan organiseren we een bijeenkomst, zodat we hem met z'n allen kunnen bekijken."

Een soort herdenking, dacht Paula, terwijl Jenny om de hoek verdween.

Toen ze in de pauze de kantine binnenliep, moest Paula opeens denken aan de dag na Alans ongeluk.

De leerlingen van Bridgetown High die Alan niet gekend hadden, vonden het triest, maar ook wel een beetje spannend. Ze aten vlug en stelden daarna aan iedereen vragen omdat ze precies wilden weten wat er gebeurd was.

Degenen die Alan wel gekend hadden, vooral zijn vrienden, namen af en toe een hap of raakten hun eten helemaal niet aan. Ze zaten stilletjes bij elkaar en staarden elkaar over tafel aan.

Bob had er die dag verward en triest uit gezien. Paula

herinnerde zich dat ze zich daar een beetje aan had geërgerd. Als een van de leraren Bob een moeilijke vraag stelde, kon hij ook zo kijken. Meteen schaamde ze zich voor die gedachte. Ze was niet zo weg van Bob, maar hij was een vriend van Alan geweest. Hij had het er natuurlijk ook moeilijk mee.

Susan had als verdoofd voor zich uit gestaard. Haar smalle gezicht was vertrokken en ze had Bobs arm, die zoals gewoonlijk om haar schouders lag, ongeduldig van zich af geschud.

Jenny had geen moeite gedaan om haar verdriet voor zich te houden. Ze had onbedaarlijk gehuild, net als Paula zelf.

Roberts ogen waren rood geweest, alsof hij het grootste deel van de nacht op was geweest. Hij was een studiebol, dus misschien had hij ook wel met zijn neus in de boeken gezeten. Maar Paula vermoedde dat Robert ook had gehuild.

Paula wist niet hoe moeilijk Richard het met Alans dood had gehad. Richard was die dag niet in de kantine verschenen.

Richard Black. Paula voelde zich warm worden als ze aan hem dacht.

Richard was in augustus in Bridgetown komen wonen. Paula wist niet hoeveel vrienden Richard sinds zijn komst gemaakt had, maar zijn beste vriend was Alan geworden.

Vanaf eind augustus tot Alans dood was Richard bijna iedere dag naar het huis van de familie Andersen gekomen om met Alan te basketballen. Als Paula in haar kamer zat, had ze hen gehoord.

Af en toe was Paula naar het raam gelopen om naar hun spel te kijken. Richard was groter dan Alan, maar minder snel. Hij had blond haar en blauwe ogen, of grijze. Paula wist het niet precies. Ze had Richard maar een paar keer van dichtbij gezien. Hij deed een beetje afstandelijk. Niet echt onaardig, maar rustig en... intrigerend. Paula wilde hem dolgraag beter leren kennen.

Paula zuchtte.

Ze keek de volle kantine rond en ontdekte Susan, Bob en Robert. Maar geen Richard. Hij was nergens te bekennen. Toch wist Paula zeker dat hij nu ook pauze had. Misschien was hij naar buiten gegaan. Dat deed bijna niemand, omdat ze tussen de middag maar weinig tijd hadden.

Paula haalde haar pakje brood tevoorschijn. Het zat in de plastic tas bij de spullen van Alan. Ze haalde een beker thee en baande zich een weg door de luidruchtige menigte naar de tafel waar Robert zat.

„Wat heb jij bij je, een heel brood?" vroeg Robert lachend, toen hij de grote tas zag. Voor hem op tafel lagen allerlei blaadjes uitgespreid. Aantekeningen geschiedenis, het enige vak dat ze tegelijk hadden.

Paula trok een stoel bij en ging zitten. Ze zette de tas op de grond en legde haar eten op tafel, een dubbele boterham en een appel.

„Nee, die tas zit vol met spullen van Alan."

Robert, die juist zijn hand uitstak om een blaadje op te pakken, trok schielijk zijn hand terug en keek haar fronsend aan. „Wat moet jij daarmee?"

„Mevrouw Andersen heeft me wat van Alans spullen

gegeven om die onder zijn vrienden te verdelen," legde Paula uit. „Daarom heb ik ze vandaag meegebracht."

Roberts ogen dwaalden af naar de tas.

„Jullie waren goed bevriend," ging Paula verder, terwijl ze een hap van de appel nam. „Ik dacht dat je misschien ook iets wilde hebben."

Robert liet zijn balpen van de ene hand in de andere rollen en bleef bedenkelijk kijken.

„Luister, je hoeft niets te nemen," zei Paula vlug. „Het is niks bijzonders. Behalve dan dat het van Alan was."

Robert schudde zijn hoofd. „Sorry, ik bedoel niet dat ik niks wil hebben, maar je overvalt me ermee."

„Dat snap ik," knikte Paula. „Ik heb de doos met spullen ook eerst een paar weken op mijn kamer laten staan voor ik ze durfde te bekijken."

Robert zuchtte. „Oké dan," mompelde hij.

Paula bukte zich naar de tas. „Posters, stripboeken, cd's." Ze zei niets over de basketbal. „Een videoband, maar die hou ik zelf. Weet je nog hoe Alan altijd met zijn camera in de weer was? Hij heeft ons gefilmd."

Robert lachte. „Wat staat er op die band?"

„Van alles, wat ik tot nu toe heb gezien. En? Wat wordt het voor jou?" vroeg Paula, terwijl ze de tas op haar schoot zette.

Robert leunde over de tafel en wierp een blik in de tas. „Hé, Alans basketbal!" riep hij uit. „Voor wie is die?"

„Voor jou, als je hem wilt," antwoordde Paula. „Ik

laat iedereen gewoon kiezen." Ze hoopte dat Robert de bal niet zou nemen.

„Hé, een oude filmposter," zei Robert, nadat hij een van de posters had uitgerold. „Alan was maf van films. Ik denk dat ik die poster neem. Ik ben ook een filmfanaat." Hij rolde de poster weer op.

Paula at opgelucht haar brood op en stond op. „Ik ga eens even kijken of Susan en Bob nog wat willen hebben."

Maar Robert gaf geen antwoord. Hij zat alweer over zijn aantekeningen gebogen.

„Hé, Robert," vroeg Paula, voor ze wegliep, „mag ik voor het volgende proefwerk je aantekeningen lenen?"

„Alsjeblieft niet." Robert keek niet op. „Ik zal er wel kopieën van maken," liet hij erop volgen.

Paula knikte opgelucht. „Graag." Robert was meestal niet zo scheutig met zijn aantekeningen. Hij vond dat iedereen voor zijn eigen werk moest zorgen. Paula liep snel weg voordat hij zich zou bedenken.

Susan en Bob zaten met z'n tweeën aan een tafeltje, aan dezelfde kant, de stoelen dicht tegen elkaar geschoven. Ze hadden, zoals gebruikelijk, alleen oog voor elkaar, zag Paula. Ze liep naar de lege kant van de tafel en zette de tas erop.

Susan keek fronsend van de tas naar Paula. In Bobs ogen verscheen een nieuwsgierige blik.

„Sorry, dat ik stoor," zei Paula. Ze voelde zich een beetje een indringer. „Het duurt maar even. Alans moeder heeft me wat van zijn spullen gegeven. Ze zijn bestemd voor Alans vrienden, maar ze kon de moed niet opbrengen om ze zelf te geven. Daarom vroeg ze het aan mij en hier ben ik dus."

„Waarom vroeg ze het aan jou?" wilde Susan weten.

Paula haalde haar schouders op. „Ik denk omdat we buren zijn... waren. En vrienden." Wat maakte dat nou uit?

Susan en Bob deden geen poging om in de tas te kijken en dus vertelde Paula wat erin zat. „O, en er is nog een videoband, maar die hou ik zelf, voorlopig tenminste."

„Wat staat erop?" vroeg Bob. Hij sloeg zijn arm om Susans schouders.

Paula vertelde wat ze had gezien. „Ik heb nog niet alles bekeken, maar het gaat waarschijnlijk nog zo door. Ik laat jullie die film weleens zien, als je dat wilt."

„Nee, dank je wel," zei Susan. „Van mij hoeft het niet."

„Alan staat er zelf niet op," legde Paula uit. „Hij heeft hem opgenomen."

„Dat weet ik wel." Susan had haar blauwe ogen toegeknepen en keek Paula aan. „Maar ik zou toch de hele tijd aan hem moeten denken. Ik vind het ook walgelijk om tussen zijn spullen te wroeten."

Paula zuchtte. Susan gaf haar het gevoel dat ze koud en ongevoelig was. „Nou ja, iedereen reageert anders," zei ze kortaf. „Bob? Wil jij iets hebben?"

Bob knikte. „Ik wil de stripboeken wel."

Paula glimlachte naar hem. Misschien was hij toch niet zo onverschillig als ze altijd gedacht had. „En jij, Susan?" vroeg ze.

„Niets, dank je feestelijk." Susan pakte haar bekertje yoghurt op. „Ik weet dat Alans moeder dit bedacht heeft, maar ik wil echt niks. Ik krijg er kippevel van." Ze nam een hap van de yoghurt.

Met een gevoel alsof ze weggestuurd was, pakte Paula de tas op en liep weg.

Toen ze Roberts tafeltje passeerde, zag ze dat hij nog steeds gebogen zat over zijn aantekeningen. Hij keek niet op.

Maar terwijl ze naar de uitgang liep, had Paula plotseling het gevoel dat er iemand naar haar keek. Iemand hield haar in de gaten.

HOOFDSTUK 3

De basketbal was voor Richard Black. Paula wist natuurlijk niet zeker of Richard de bal wilde hebben, maar ze dacht dat hij het misschien leuk zou vinden als ze het hem zou vragen. En ze wilde het hem graag vragen. Maar eerst moest ze hem zien te vinden.

Toen dat eindelijk lukte, was de schooldag al voorbij. Paula had de rest van de cd's aan Dave Travis gegeven. Hij was ook veel met Alan opgetrokken. De resterende posters waren voor Linda Baker. Alan had haar weleens meegenomen naar een feest. Paula gaf Linda bovendien een foto die Alan van haar gemaakt had. Ze waren maar een paar keer samen uit geweest, voor zover Paula wist, dus het was vast geen hevige verkering geweest. Maar Linda was er blij mee en bedankte haar hartelijk.

Zo bleef alleen de bal over.

Na de lessen was Paula op weg naar de uitgang, toen ze Richard voor zich zag lopen. Hij was alleen en liep snel. Ze begon te rennen om hem in te halen, waarbij de grote tas tegen haar benen sloeg.

Richard hoorde de voetstappen achter zich en draaide zijn hoofd om.

Paula glimlachte naar hem. Ze werd opeens een beetje zenuwachtig.

„Het was stom van me om die hele tas mee te slepen," hijgde ze, toen ze Richard had ingehaald en naast hem liep. „Ik had beter eerst aan iedereen kunnen vragen wat ze wilden hebben en het daarna mee kunnen nemen."

Richard bleef staan en keek haar verbaasd aan.

„Je weet natuurlijk niet waar ik het over heb," begreep Paula. Hij had grijze ogen, merkte ze op. Niet dat ze veel kans kreeg ze te zien, want hij keek op zijn horloge. „Heb je haast?"

„Ik moet naar mijn baantje," antwoordde hij. „Maar ik heb nog wel vijf minuten voor jou."

„Waar werk je? Ach laat maar, het doet er ook niet toe," voegde ze er snel aan toe. Ze voelde zich een beetje opgelaten omdat ze hun eerste echte gesprek zo verprutste. „Wat ik dus wou zeggen..."

Richard wachtte af, met opgetrokken wenkbrauwen.

„Mevrouw Andersen wil dat alle vrienden van Alan iets krijgen wat van hem is geweest," legde Paula uit. Ze vertelde wat mevrouw Andersen haar had gegeven, en wat zij daarvan intussen had gehouden of weggegeven. „Ik heb alleen de basketbal nog over. Ik dacht dat jij die misschien wel wilde hebben."

„Waarom?"

„Nou, omdat jullie samen vaak basketbalden," antwoordde Paula. „Ik bedoel, Alan was mijn buurjongen en ik zag jullie vaak samen, en ik dacht..." Ze zweeg. „Hé, je had haast, zei je. Wil je die bal hebben?"

Richard pakte de tas aan en haalde de bal eruit. „Alan was er niet erg goed in," zei hij, met de bal in zijn hand. „Ik ook niet, trouwens, dus waren we aan elkaar gewaagd. We hebben echt veel lol gehad." Hij liet de bal een paar keer stuiten. „Alan had het weleens over je."

Paula voelde dat ze een kleur kreeg. „O ja?"

Richard knikte en begon te grijnzen. „Hij zei dat het zo makkelijk was om jou in de maling te nemen."

„Dat zei hij altijd van iedereen."

„Hij vertelde dat hij je een paar keer met de camera had overvallen," ging Richard verder.

„Daar overviel hij iedereen mee," mompelde Paula weer. „Maar ik heb zijn videoband vannacht bekeken en ik heb mezelf nergens in een pijnlijke situatie gezien. Ik heb natuurlijk nog niet alles bekeken." Ze wachtte even en voelde dat ze rood aanliep. „Nou? Vertel me dan maar wat voor vreselijke beelden hij van me heeft gemaakt. Dan kan ik ze eruit halen zodra ik thuis ben."

Richard grijnsde. Paula realiseerde zich dat het de eerste keer was dat ze hem dat zag doen. Zijn grijze ogen stonden opeens veel vriendelijker.

„O, ik snap het al," lachte ze. „Alan heeft je wijs gemaakt dat je mij in een paar tellen op de kast kunt jagen en nu wil jij het uitproberen."

„Hij had gelijk."

„Hij heeft toch geen rare opnames van mij gemaakt, of wel?"

„Je kunt nooit weten..." zei Richard geheimzinnig. „Misschien kun je maar beter die videoband vernietigen, voor het geval dat."

Paula zuchtte. „Oké, Alan had gelijk. Ik laat me snel beetnemen. Maar wil je die bal nou nog?"

„Tuurlijk." Richard klemde hem onder zijn arm en ze liepen samen naar buiten. „Bedankt dat je aan me gedacht hebt, Paula."

Buiten bleek Jenny's weervoorspelling uitgekomen te zijn. De regen kwam met bakken naar beneden.

Paula zette haar rugzak neer en ritste vlug haar jack dicht.

Tegen de tijd dat ze haar tas weer had opgepakt, was Richard al halverwege de straat. Hij hield zijn hoofd gebogen en liep stevig door, met Alans bal onder zijn arm.

Paula keek hem na. Even had het erop geleken dat Richard eindelijk ontdooide, maar daarna was hij weer afstandelijk geworden. Alsof hij een geheim te verbergen had. Maar wat dan? vroeg ze zich af.

Tegen de tijd dat Paula thuis kwam, was de regen gestopt. Maar ze wist dat er nog meer zou vallen. De wind werd sterker en joeg sombere, grijze wolken langs de hemel. Op het moment dat Paula de voordeur achter zich dichtdeed, klonk er een harde donderslag. Ze gaf een gil van schrik.

Het huis was donker en vol schaduwen. Haar ouders zouden de eerste uren nog niet thuis komen. Paula liep door de gang, de kamer en de keuken, en deed overal lampen aan. Ze trok ook de jaloezieën omhoog, zodat ze naar buiten kon kijken. Ze hield wel van zulke dagen.

Bovendien was het vrijdag. Ze had wel wat huiswerk, maar dat kon wachten. Het hele weekend lag voor haar.

Gewekt uit zijn slaap, kwam Mickey zacht de keuken binnen wandelen. Hij streek langs haar benen in de hoop wat eten te krijgen. Maar hij schrok van een nieuwe donderslag en vloog de keuken weer uit. Paula wist dat haar kat de rest van de onweersbui onder haar bed door zou brengen.

Op het moment dat ze de koelkast opentrok, klonk de derde slag. De lampen flikkerden even. Paula hield haar adem in. Ze hoopte maar dat de elektriciteit niet uitviel. Gelukkig bleven de lampen branden.

Haar moeder had een briefje op de koelkast geplakt: *Wil je de kippepoten even ontdooien,* stond erop.

Paula haalde ze uit de vriezer, stopte ze in de magnetron en stelde de tijdklok in.

Daarna schonk ze een glas sinas voor zichzelf in, pakte een aangebroken zak chips uit de kast en ging naar haar kamer.

Ze liep naar het raam toen ze een luid gekletter hoorde. Dikke regendruppels werden als kogels door de wind tegen het glas geslagen.

In het huis van de buren was alles donker. De jaloezieën waren neergelaten en boven waren de gordijnen nog steeds gesloten. Toen ze aan het licht dacht, dat ze de afgelopen nacht had gemeend te zien, slaakte Paula een zucht van opluchting. Ze hoefde niet meer bang te zijn. Vandaag had ze met Alans geest afgerekend.

Snel trok ze een joggingpak aan, at wat chips en dronk van haar sinas. Ze was juist weer op weg naar beneden toen de lampen opnieuw flikkerden. Deze keer gingen ze uit.

Het lawaai van de wind en de regen die tegen de ramen kletterde, was het enige geluid dat in huis te horen was. Voor de rest was het overal doodstil. Een griezelige stilte, nu de koelkast niet meer zoemde en de verwarmingsketel niet aansloeg.

Terwijl ze zich afvroeg hoe lang de stroomstoring zou duren, liep Paula de huiskamer in. Ze had haar hand al op de knop van de televisie toen ze zich realiseerde dat die het natuurlijk ook niet deed.

Ze bedacht dat ze kaarsen moest pakken voordat het zo donker werd dat ze die niet meer kon vinden.

Er zat een kaars in het rommellaatje in de keuken. Hij was krom en half opgebrand. Er moesten ergens nog een paar kaarsen zijn.

In de garage, flitste het door Paula heen. Haar vader had ooit een doos kaarsen gekocht voor noodgevallen en haar moeder had toen gezegd dat er in de keuken geen plaats voor was, dus werden ze in de garage bewaard.

Vanuit de keuken was er een deur naar de tuin en een naar de garage. Paula deed de garagedeur open en ging de twee treetjes af. Ze vond de doos met kaarsen op de plank boven de werkbank en wilde juist haar hand ernaar uitstrekken, toen de telefoon rinkelde.

Mooi. Die deed het tenminste nog.

Gehaast trok Paula de doos met kaarsen naar voren. Toen de telefoon voor de tweede keer ging, rolden er twaalf witte kaarsen uit de doos via de werkbank op de vloer. Paula slaakte een geërgerde zucht en rende terug naar de keuken.

De telefoon ging voor de derde keer over.

Ze haastte zich naar de kamer, gleed uit op haar sokken en stootte haar heup pijnlijk tegen de tafel.

De telefoon ging weer.

„Ja, ja." Eindelijk was Paula er. Met één hand wreef ze over haar heup en met de andere greep ze de hoorn van het toestel.

Een klik.

Degene aan de andere kant had neergelegd.

Paula legde ook neer en ging terug naar de garage om de kaarsen op te rapen. Twee waren er gebroken, zag ze. Die gooide ze weg en de rest nam ze mee naar binnen.

In haar kamer controleerde ze of Mickey daar was. Vanonder haar bed keek de kat haar met zijn groene ogen aan, waarna hij weer wegdook met zijn staart om zijn poten geslagen. Hij zou niet tevoorschijn komen voor alles weer normaal was, wist Paula.

Ze stak twee kaarsen aan en zette er een op haar nachtkastje en een op haar buro. De vlammetjes wierpen flakkerende schaduwen op de muren en gaven Paula het gevoel dat ze in een grot zat. Het was nog spookachtiger dan zonder licht.

Net toen Paula de eerste kaars uitblies, rinkelde de telefoon weer. Ze had ook beneden moeten blijven.

Ze blies vlug de andere kaars uit en haastte zich de trap af.

Toen ze bij de kamerdeur was, ging de telefoon voor de tweede keer over. Paula nam op.

„Hallo?"

Stilte.

„Hallo?" vroeg Paula iets luider. Misschien was de verbinding slecht.

Weer stilte.

Er klonk geen gekraak op de lijn. De verbinding was dus goed.

Paula opende haar mond om voor de derde keer hallo te zeggen, maar slikte haar woorden plotseling in. Ze luisterde aandachtig.

Er was iemand aan de andere kant van de lijn. Ze voelde het.

Het werd intussen steeds donkerder. Buiten gierde de wind en blies de regen in vlagen tegen de ramen.

Paula huiverde. Gingen de lichten maar weer aan.

Misschien dacht degene aan het andere eind van de lijn dat hij leuk was. Maar het kon ook een hijger zijn, of een inbreker, die probeerde uit te vinden of er iemand thuis was.

Een beetje angstig zei Paula nog een keer hallo.

Opeens klonk aan de andere kant een zucht, die de stilte verbrak.

HOOFDSTUK 4

Paula was er zeker van dat ze het zich niet verbeeld had.

Er was iemand aan de andere kant van de lijn, die haar in stilte uitdaagde.

Ze wilde juist boos uitvallen, toen ze opeens een zachte klik hoorde. De onbekende beller had de verbinding verbroken.

Vijf minuten later, toen Paula controleerde of alle deuren op slot zaten, gingen de lampen onverwachts weer aan. Ze hoorde de magnetron opnieuw starten, de koelkast begon te zoemen en op zolder sloeg de verwarmingsketel aan.

Op hetzelfde moment rinkelde de telefoon.

Paula voelde zich een stuk prettiger met de lichten aan. Ze liep bij de voordeur vandaan en sprintte naar de telefoon, klaar om tegen de onbekende beller te schreeuwen dat hij haar met rust moest laten. Ze was woedend. Die zucht van net had haar de stuipen op het lijf gejaagd.

Ze griste de hoorn van het toestel en haalde diep adem. „Luister goed, ik wil dat je hiermee ophoudt!" riep ze kwaad. „Ik ben thuis, dus je hoeft niet te proberen om in te breken en als je dit nummer blijft bellen, schakel ik de politie in. Heb je dat begrepen?"

„Jazeker," klonk een stem.

Het was de stem van Richard.

Paula hapte naar adem. „Was jij net ook aan de telefoon?" vroeg ze aarzelend.

„Uh..." Richard zweeg even. „Wanneer?"

„Net," zei Paula. „Ongeveer vijf minuten geleden." Ze hield de hoorn tegen haar andere oor en leunde tegen de muur.

„Nee, dat moet iemand anders zijn geweest," antwoordde Richard.

„Dat zal dan wel." Paula lachte, maar stond ondertussen nog te trillen op haar benen. „Sorry voor die stomme reaktie. Maar de lichten waren net uitgevallen en ik kreeg twee doodenge telefoontjes. Er werd niks gezegd, alleen gezucht. Ik had het niet meer."

„Het klinkt nogal vreemd," gaf Richard toe. „Je ging ook flink tekeer. Jammer dat het niet dezelfde beller was, dan had je hem vast de stuipen op het lijf gejaagd."

„Ik ben blij dat jij het bent," zei Paula opgelucht. „En het licht doet het weer en de lijn is bezet, zodat hij nu niet kan bellen, ook al zou hij willen."

„In de winkel was de stroom ook even uitgevallen," vertelde Richard.

„Winkel?" herhaalde Paula verbaasd.

„Waar ik werk," legde hij uit. „Drie dagen in de week na schooltijd, dozen met doe-het-zelf materialen uitpakken. Meestal schuif ik de dozen gewoon van de ene naar de andere kant."

„Spaar je ergens voor?" vroeg Paula nieuwsgierig.

„Gedeeltelijk. Maar ik werk ook voor mijn zakgeld. Mijn vader is er niet meer en de rekeningen blijven natuurlijk gewoon komen."

„Is er niet meer?" zei Paula voorzichtig. „Is hij...?"

„Dood? Nee. Hij is weg, zoals bij een scheiding."

„O, wat erg." Dom om zoiets te zeggen, dacht Paula.

Misschien vond Richard het helemaal niet erg. Misschien was zijn vader wel een vreselijke vent. Ze schraapte haar keel. „Zeg..."

„Juist, waarom belde ik?" begreep Richard meteen. „Ik bel omdat ik nog vergeten was je te vertellen wat Alan nog meer over je heeft gezegd."

„O, dat zal wel weer iets fraais zijn," probeerde ze hem uit zijn tent te lokken.

„Alan dacht dat als ik het je zou vragen, je wel met me uit zou gaan."

Even dacht Paula dat ze Richard niet goed had verstaan. Maar toen het tot haar doordrong dat hij het meende, was ze door het dolle heen.

„Paula, ben je er nog?"

„Ja, ik ben er," riep Paula uit, terwijl ze rechtop ging staan. „Bedoel je dat je een afspraakje met me wilt maken?"

„Ja, dat is precies waar ik mee bezig ben."

„Nou, te gek," zei Paula enthousiast.

„Mooi. Alan had dus gelijk." Richard zweeg weer even en Paula dacht dat ze hem hoorde grinniken. „Wat dacht je van morgenavond?" ging hij verder.

„Oké, morgenavond komt prima uit." Paula stond al te bedenken wat ze aan zou trekken. „Hoe laat? Waarheen?"

„Ik kom om een uur of half zeven. Zullen we naar de film gaan en ergens een pizza eten?"

„Klinkt goed," vond Paula. „Maar mijn ouders zullen die tijd niet zo leuk vinden. Ze moeten morgenavond namelijk ook weg en om half zeven zijn ze al vertrokken, dus dan kunnen ze jou niet zien."

„Mij niet keuren, zul je bedoelen."

Paula knikte verlegen. „Ja, dat is eigenlijk wat ik bedoel."

„Nou ja, misschien ontmoet ik je ouders een andere keer," zei Richard.

„Wie weet." Paula hoopte vurig dat er een andere keer zou volgen. „Nou, ik zie je in ieder geval morgen."

„Oké. En Paula?"

„Wat is er?"

„Als je die griezelige beller weer aan de telefoon krijgt, zeg dan niet dat je in je eentje zit," raadde Richard haar aan.

„Wat bedoel je?" vroeg Paula verbaasd. „Hoe weet jij dat ik alleen thuis ben?"

„Dat vertelde je net zelf," antwoordde Richard. „Je zei: 'Ik ben thuis, dus je hoeft niet te proberen in te breken.' Zeg de volgende keer 'Wij zijn thuis' of zeg helemaal niks. Leg gewoon neer."

Paula's ogen vlogen naar de deur om zich er nogmaals van te verzekeren dat die op slot zat. Onwillekeurig huiverde ze even. „Ik zal eraan denken," beloofde ze. „Tot morgen."

Tegen de tijd dat de telefoon weer rinkelde, was Paula's moeder thuis en was de wind gaan liggen. Mickey was intussen ook weer opgedoken en naar buiten gegaan met zijn staart in de hoogte, alsof er het laatste uur niets gebeurd was.

Jenny was aan de telefoon. Ze wilde weten of Paula haar de volgende avond kon helpen. „Ik moet een stapel tijdschriften doorworstelen voor een werkstuk en daar kan ik wel wat hulp bij gebruiken."

„Ik kan niet," vertelde Paula haar vriendin. „Ik ga uit."

Jenny gilde het uit. „Dat meen je niet! Met wie?"

„Met Richard Black." Paula sprak zijn naam langzaam en nadrukkelijk uit.

„Nee! Echt?"

„Echt," zei Paula. Ze rekte het snoer van de telefoon helemaal uit om een blik in de keuken te kunnen werpen. De kippepoten lagen kalm te sudderen in de pan. „Hij belde vanmiddag." Opeens kreeg ze een ingeving. „Zeg, heb je vanmiddag al een keer gebeld?" vroeg ze haar vriendin. „Ik kreeg namelijk twee enge telefoontjes van een hijger."

„Waarom zou ik je opbellen en hijgen?" wilde Jenny weten.

„Dat bedoel ik niet," lachte Paula. „Ik bedoelde dat de lijn misschien slecht was en dat ik me verbeeldde dat er iemand zuchtte."

„Nou, ik heb nog niet eerder gebeld," vertelde Jenny. „Maar ik hoop dat je morgen veel plezier hebt."

„Ik ook," zei Paula. „Maar mijn moeder is nijdig, omdat ze Richard wil zien en ze moet morgenavond al vroeg weg met mijn vader. Dat bederft alles wel een beetje. Ik vraag me trouwens af hoe het is om met Richard uit te gaan. Hij ziet er hartstikke leuk uit, maar hij doet nogal afstandelijk en geheimzinnig, vind je niet?"

Jenny lachte. „Nou, morgen weet je het. Ik ben heel benieuwd."

Richard was helemaal niet afstandelijk. Integendeel, hij was spraakzaam, maakte voortdurend grapjes en was attent. Paula viel van de ene verbazing in de andere.

Waardoor was hij opeens zo veranderd? Of had ze hem nooit een kans gegeven?

Na de film, een lachfilm over een persoonsverwisseling, gingen ze naar een snackbar.

„Ik neem een broodje hamburger," bedacht Paula, terwijl ze op een bank gingen zitten. „En ik betaal, jij hebt al op pizza getrakteerd."

Richard schudde zijn hoofd. „Ben je gek! Denk nou niet dat ik platzak ben, na wat ik je gistermiddag over mijn vader vertelde."

„Dat doe ik ook niet." Paula trok haar jack uit en legde dat naast zich neer.

„Oké, ik ga niet met je in discussie," grinnikte Richard. „Alan vertelde al dat je koppig was."

Paula leunde met haar ellebogen op tafel en steunde haar kin in haar handen. „Waarom vertel je me niet alles wat Alan over me zei? Dan hebben we dat maar gehad," stelde ze voor. „Dan hoef ik er niet meer over in te zitten."

Richard grijnsde en schudde zijn hoofd. „Ik plaag je maar," stelde hij haar gerust. „Ik heb alles al verteld."

Paula geloofde hem niet helemaal, maar ze besloot er over op te houden. Nadat ze hun bestelling hadden opgegeven, vroeg ze Richard waar hij eerst had gewoond en wat hij van Bridgetown vond.

Richard vertelde dat hij uit Easttown kwam, een

paar honderd kilometer verderop. „Mijn moeder werkt voor een computerbedrijf," ging hij verder. „Toen de zaak naar Bridgetown werd overgeplaatst, zijn wij ook verhuisd." Hij nam een hap van zijn hamburger. „Ik heb het hier wel naar mijn zin," vertelde hij. „Maar mijn broer heeft het moeilijk. Hij zegt steeds dat hij terug wil."

Op dat moment zag Paula Susan en Bob binnenkomen.

Terwijl ze naar een tafeltje achterin liepen, viel Susans blik ook op Paula. Ze bleef zo plotseling staan, dat Bob tegen haar aan botste.

Paula zwaaide. Even leek het erop dat Susan naar haar toe wilde komen. Maar toen Susan Richard zag, aarzelde ze. Haar ogen gleden van Paula naar Richard en weer terug naar Paula. Ze fronste haar wenkbrauwen, tilde haar hand op voor iets wat op een groet leek en liep door.

„Vrienden van je?" informeerde Richard.

Paula knikte. „Susan en Bob waren ook vrienden van Alan, al begrijp ik nog steeds niet waarom. Alan was zo aardig en spontaan, terwijl zij dat juist niet zijn. Susan in ieder geval niet."

„Alan was een kanjer," stemde Richard in. „Volgens mij kon hij met iedereen goed overweg."

Paula dacht daar even over na. Had ze Alan ooit met iemand ruzie horen maken of op iemand kritiek horen leveren? Ze kon het zich niet herinneren.

Paula had net een hap genomen, toen Richard haar gedachten onderbrak. „Zeg, ik vind het hartstikke vervelend, maar ik moet even weg."

„Weg?" vroeg Paula verbaasd. „Waarom? Wat is er?"

„Niets. Blijf jij hier, dan ben ik zo terug," zei Richard, terwijl hij opstond. „Mijn moeder heeft mijn broer overgehaald naar zijn klasseavond te gaan. Ik heb hem erheen gebracht voordat ik jou ophaalde en ik heb mijn moeder beloofd dat ik hem ook weer thuis zou brengen. Hij grijnsde even. „Het spijt me echt, maar ik ben met een kwartier terug."

„Ik ga wel even mee," stelde Paula voor.

„Nee joh, je bent nog niet klaar met eten." Richard trok zijn jack aan. Hij boog zich voorover en nam nog een slok van zijn cola. „En we zijn nog niet klaar met praten. Jij blijft hier en eet je hamburger op. Ik ben zo terug."

Voordat Paula nog iets kon zeggen, was Richard vertrokken. Hij was met zijn lange benen in drie stappen bij de deur. Paula keek hem verbaasd na en nam nog een hap van haar hamburger. Die van Richard zou natuurlijk koud zijn als hij terugkwam. Ook al snapte ze wel waarom hij moest gaan, leuk vond ze het niet.

„Ja, hoor eens," hoorde ze opeens een luide stem zeggen. „Je zei dat je ervoor zou zorgen."

Het was de stem van Susan. Er sprak boosheid uit en ook iets anders. Angst misschien?

Paula keek achterom. Susan stond te bellen. Haar gezicht stond net zo kwaad als ze klonk.

„Je hebt het beloofd," riep Susan in de hoorn. „Als het niet lukt, bedenk ik wel wat anders. Doe het nou maar!"

Ze smeet de hoorn op het toestel. Omdat Paula niet

als luistervink betrapt wilde worden, draaide ze zich vlug om en pakte haar broodje.

Twee tellen later viel er een schaduw over haar tafel. „Ik zag je afspraakje vertrekken," zei Susan. „Wat is er gebeurd?"

Dat was wat haar het meeste dwars zat, realiseerde Paula zich ineens. Ze was als de dood dat anderen zouden denken dat Richard haar had laten zitten. „Richard moest zijn broer halen," legde ze kortaf uit.

Susan keek weifelend. „Waarom kom je niet bij ons zitten?" vroeg ze, terwijl ze op haar horloge keek.

„Nee bedankt, Richard komt zo terug," antwoordde Paula. „Hij zou maar een kwartiertje wegblijven."

„Nou, waarom kom je dan niet even bij ons zitten tot hij terug is?" Susan keek weer op haar horloge.

„Waarom doe je dat toch steeds? Neem je de tijd voor me op?" grapte Paula.

Susan gaf geen antwoord. Ze beet op haar lip. „Ik dacht dat je misschien behoefte had aan gezelschap, dat is alles." Ze wiebelde van de ene voet op de andere en trok een ongeduldig gezicht.

Paula keek op de klok die boven de toonbank hing. Het was tien over elf. Richard kon elk ogenblik terugkomen.

Vanuit haar ooghoeken zag ze dat Susan rusteloos met haar ene voet op de grond tikte. Waarom was ze zo onrustig? Paula keek op.

Tot haar grote verbazing zag ze dat er een angstige blik in Susans ogen was verschenen.

HOOFDSTUK 5

Richard kwam om vijf voor half twaalf terug.

Susan was weer teruggegaan naar Bob. Paula had nog gevraagd wat haar dwars zat, maar Susan had verbaasd en geïrriteerd gereageerd op die vraag. Er was niets aan de hand, had ze gezegd. Waarom dacht Paula dat?

Paula besloot de zaak verder te laten rusten. Ze wist zeker dat er iets mis was, maar het was duidelijk dat Susan er niet over wilde praten. In ieder geval niet met haar.

Tijdens het wachten had Paula haar hamburger en cola naar binnen gewerkt. Ze begon zich net een beetje opgelaten te voelen, toen Richard onverwachts in de deuropening stond. Zijn gezicht was rood en hij rook naar de koude buitenlucht. Hij ging tegenover haar zitten en pakte haar hand.

„Sorry," zei hij berouwvol. „Het duurde wat langer dan ik dacht." Hij hijgde een beetje, alsof hij hard gelopen had.

„Het geeft niet," zei Paula. Haar ergernis was al verdwenen op het moment dat ze hem zag. „Heeft hij het leuk gehad?"

„Wie? O, Frank." Richard liet haar hand los, pakte zijn broodje en legde het weer neer zonder er een hap van te nemen. Zijn ogen waren donkergrijs. Het leek wel of hij ergens over in zat, dacht Paula verbaasd. Of misschien vond hij de koude hamburger niet meer lekker. „Hij vond het vast wel leuk, maar dat wilde hij niet toegeven."

Frank leek haar een lastig joch, maar Paula besloot dat niet te zeggen. Ze stelde voor samen nog een portie friet te nemen en Richard stemde ermee in. Toen de patat gebracht werd, at hij snel, alsof hij nog ergens heen moest.

Paula begreep er niets meer van. Richard gedroeg zich nu heel anders. Hij had gezegd dat hij terug zou komen om nog wat te praten, maar Paula was de hele tijd alleen aan het woord. Richard zei niets.

Zo nu en dan keek hij tersluiks op zijn horloge, net als Susan had gedaan.

Wat was er toch gaande?

Uiteindelijk gaf Paula het midden in een zin op. „Ik heb mijn werkstuk bijna af, alleen..." zei ze en maakte haar zin niet af.

Richard merkte het niet eens.

„Hé," zei Paula scherp.

Richard keek verschrikt op. „Sorry, wat zei je?"

„Dat het tijd is om op te stappen." Paula maakte een prop van haar servet en smeet die op tafel. „Vind je ook niet?"

Richard keek voor de zoveelste keer op zijn horloge.

„Ik moet op tijd thuis zijn," ging Paula kortaf verder.

„Om twaalf uur?"

„Zo ongeveer." Eigenlijk mocht het wel later, maar Paula wilde gewoon weg. Ze legde het geld op tafel, stond op en trok haar jack aan.

Richard leek teleurgesteld, maar hij protesteerde niet.

Paula woonde vlakbij, dus ze waren er snel. Onderweg zeiden ze niet veel tegen elkaar. Richard maakte af en toe een opmerking en Paula gaf antwoord, maar ze hield het gesprek niet gaande. Ze was vreselijk teleurgesteld. Waarom gedroeg Richard zich zo anders sinds hij was teruggekomen? Had hij ruzie gehad met zijn broer? En waarom vertelde hij haar niet gewoon wat hem dwars zat, in plaats van dicht te klappen?

Paula had hem er rechtstreeks naar kunnen vragen, maar dat deed ze niet. Ze was misschien toch bozer dan ze toe wilde geven.

De buitenlamp brandde, maar haar vaders auto stond er niet. Paula kon het zien, omdat de garagedeur openstond. Alleen haar moeders auto was er. Ze grinnikte.

„Wat is er?" vroeg Richard verbaasd.

„Ik dacht eraan hoe vaak ik op mijn donder heb gekregen van mijn ouders als ik de garagedeur niet achter me dicht had gedaan," vertelde ze. „Deze keer hebben zij hem open laten staan."

„Vergeet niet hun dat in te peperen," lachte Richard.

„O, dat vergeet ik niet." Paula wilde het tuinpad oplopen, maar Richard legde zijn hand op haar arm.

„Zeg Paula," zei hij, „kunnen we het een keer opnieuw proberen?"

„Wat?"

„Een nieuwe afspraak." Hij liet haar arm los. „Ik beloof je dat ik dan niet halverwege weg hoef."

„Ik vond het niet zo erg dat je even weg moest,"

antwoordde Paula. „Als je maar niet zo humeurig terug was gekomen."

„Je hebt gelijk. Het spijt me echt." Richard streek een lok haar van zijn voorhoofd en knikte ernstig. „Wacht, ik breng je tot de voordeur."

„Bedankt."

Hij wilde dus niet vertellen wat er vanavond gebeurd was, dacht Paula. Ze had hem de kans gegeven, maar hij was er niet op ingegaan.

Misschien de volgende keer. Ze had al min of meer ingestemd met een volgende afspraak.

Ze namen afscheid bij de voordeur en Richard vertrok. Toen Paula de deur open duwde, schoot Mickey langs haar heen naar buiten. Hij leek verontwaardigd dat hij zo lang in huis opgesloten had gezeten.

In de gang trok Paula haar jack uit. Daarna liep ze naar de keuken en schonk een glas sinaasappelsap in. Net toen ze een slok wilde nemen, viel haar oog op het rode lampje van het antwoordapparaat. Er was twee keer gebeld.

Paula drukte op de knop en wachtte.

Er klonk gezoem en gepiep. Daarna een klik. De eerste beller had neergelegd.

Weer gezoem. Opnieuw een klik.

Ook neergelegd.

Langzaam zette Paula haar glas neer. Ze herinnerde zich de telefoontjes van de vorige dag en dacht aan de garagedeur. Ze kon zich niet herinneren dat haar ouders die ooit open hadden gelaten.

Met bonzend hart controleerde ze de twee deuren in de keuken. Die zaten allebei op slot.

Maar dat had niets te betekenen. Als iemand door een van die deuren binnen was gekomen, had hij die gemakkelijk achter zich af kunnen sluiten.

Paula bleef aarzelend staan. Zou ze de rest van het huis controleren of naar de buren gaan en wachten tot haar ouders thuis kwamen? Of maakte ze zich bang om niets?

Ze spitste haar oren om een geluid op te vangen, maar het enige dat ze hoorde, was het suizen van haar bloed in haar oren.

„Je ziet ze vliegen," zei ze hardop tegen zichzelf. Met knikkende knieën verliet ze de keuken, waarbij ze zoveel lawaai maakte als ze kon. Ze liep vlug naar de voordeur.

De kat drentelde weer naar binnen toen Paula de deur opende. Ze probeerde hem op te pakken, maar Mickey ontweek haar en vloog de trap op.

Er was een gure wind opgestoken, die tegen Paula aan blies toen ze naar buiten stapte. Ze hield een hand aan de deurknop, onzeker wat ze moest doen. Zou ze een blik in de garage durven werpen?

Paula huiverde. Op hetzelfde moment zag ze autolichten de hoek omkomen. De auto minderde vaart toen hij hun huis naderde.

Paula slaakte een zucht van opluchting. Het waren haar ouders.

„Hé, al thuis?" zei mevrouw Martins verbaasd, terwijl ze uit de auto stapte. „Hoe was het?"

„Leuk." Paula hield haar hand op de deurknop. „Hoe hebben jullie het gehad?"

„Goed." Haar moeder fronste haar wenkbrauwen.

„Wat doe je hier buiten in de kou?"

„Ik was bang," antwoordde Paula. „Er is twee keer gebeld en meteen weer neergelegd, en de garagedeur stond open. Ik was bang dat degene die gebeld had, erachter was gekomen dat er niemand thuis was en ingebroken had."

Haar moeder duwde de voordeur open en staarde in de gang. „Misschien heeft je vader de garagedeur open laten staan," merkte ze op.

Meneer Martins hield echter vol dat hij de deur dicht had gedaan. Samen met Paula doorzocht hij voor alle zekerheid alle kamers en kasten. Tot hun grote opluchting misten ze niets en hield zich nergens een inbreker verborgen.

„Als er echt ingebroken was, zou dat hier geen verschil maken," zei haar vader misprijzend, terwijl hij Paula's kamer rond keek. „Misschien moest je het hier eens opruimen, dan merk je het tenminste of er iets vermist wordt."

„Haha, wat leuk," zei Paula. „Ik weet precies waar alles ligt."

Toch keek ze, nadat haar vader vertrokken was, nog even alles na. Er lag een berg kleren op haar bed, en stapels boeken en papieren op haar buro, het nachtkastje en de vloer.

Niets leek van plaats veranderd te zijn. Om het onbehaaglijke gevoel van zich af te schudden, besloot Paula een lekkere warme douche te nemen. Waarschijnlijk had haar vader de garagedeur wel open laten staan, maar wilde hij het niet toegeven. Degene die had gebeld, had het verkeerde nummer ingetoetst of wilde geen boodschap achterlaten. Er had niemand ingebroken.

Paula kwam tot de conclusie dat haar fantasie op hol geslagen was. Ze zag spoken.

De volgende dag waren de spoken verdreven.

Paula had het grootste deel van de middag huiswerk zitten maken. Daarna belde ze Jenny om haar vriendin over haar afspraak met Richard te vertellen.

„Wat zat hem dan dwars?" vroeg Jenny, nadat Paula zijn wisselende stemming beschreven had.

„Volgens mij is het zijn lastige broer," antwoordde Paula. „Frank, zo heet hij, wilde niet hier naartoe verhuizen en het lijkt erop dat hij dat op iedereen afreageert."

„En dus reageert Richard het weer op jou af?" Jenny's stem klonk verontwaardigd.

„Ach welnee, joh," zei Paula. „Ik denk dat ik het een beetje overdreven heb."

„Nou, ik vind het maar raar. Hij kon toch wel iets zeggen? En het idee dat hij jou gewoon een tijdlang alleen laat zitten..." Jenny zweeg even. „Hé, vertel eens, heeft hij je bij het afscheid gezoend?"

Paula grinnikte. „Nee. Misschien de volgende keer."

„Niet?" Jenny's stem schoot uit. „Jeetje Paula, wat een sukkel, zeg!"

„Ik heb hem toch ook niet gezoend," lachte Paula. „Ben ik dan ook een sukkel?"

Jenny bromde iets. „O trouwens," begon ze opeens, „nog eventjes over die band van Alan. Ik heb erover nagedacht. Ik ben op de videoclub met een projekt bezig en als Alans band een beetje goed is, kan ik hem wel gebruiken. Bovendien bedacht ik dat die band misschien wel leuk is voor zijn ouders, als ik hem bewerk en er muziek bij doe. Mag ik hem eens bekijken?"

„Ja natuurlijk, maar ik wil eerst zelf het laatste stuk zien," zei Paula. Ze dacht aan Richards grapje dat Alan haar ergens op 'betrapt' zou hebben.

„Oké, doe dat dan en geef hem daarna aan mij," zei Jenny.

Na het telefoongesprek ging Paula nog even door met haar huiswerk. 's Avonds na het eten ging ze naar de huiskamer, spoelde Alans videoband terug en ging op haar gemak zitten kijken.

Het auto wassen, het tuinfeest, de straatopnames. Paula keek er met een half oog naar. De band was een beetje saai, maar misschien kon Jenny hem wat oppeppen met muziek. Toch zou ze er veel uit moeten knippen, want bepaalde delen leken eindeloos lang te duren.

Weer een feestje. Paula ging met een ruk rechtop zitten en fronste haar wenkbrauwen. Ze probeerde te bedenken waar het was. De camera zwenkte over lachende gezichten. Bob en Susan, Robert, Dave, Jenny. Daarna zag ze Vera en Diana, twee meisjes die ze niet goed kende. De camera hield stil bij een ingelijste foto en zoomde erop in. Het was een foto van Robert, die lachend naast een auto stond met de sleuteltjes in zijn hand. Hij had net zijn rijbewijs gehaald.

Opeens herinnerde Paula zich weer dat dit een opname was van het feest dat Robert in september had gegeven. Paula was ook uitgenodigd, maar ze had met haar ouders afgesproken om dat weekend naar haar oma te gaan.

De camera was weer gericht op de feestgangers. Richard verscheen in beeld. Paula ging op het puntje van de bank zitten.

Richard zat naast de anderen. Hij luisterde en keek, maar nam geen deel aan het gesprek. Opeens viel zijn blik op de camera. Hij stak afwerend zijn hand uit, alsof hij Alan weg wilde hebben.

De camera bleef echter op Richard gericht tot hij ten slotte opstond en weg liep. Heel even was alleen zijn rug nog te zien.

Het beeld werd donker en opeens verscheen Richard opnieuw in beeld. Hij stond in een gang. Achter hem was een deur zichtbaar. Er scheen verder niemand in de buurt te zijn, op Alan na.

De camera zoomde langzaam in op Richard.

Paula verstijfde. Ze voelde hoe haar hart begon te bonzen. Ze schrok van de blik op Richards gezicht. Hij was woedend!

Zijn lippen bewogen. Je kon zien dat hij op boze toon iets zei.

Alan liet de camera doordraaien.

Richard kwam in beweging. Hij liep naar de camera, met uitgestoken hand. Zijn hand vulde de lens steeds meer, tot het beeld ten slotte donker werd.

HOOFDSTUK 6

Paula pakte de afstandsbediening en stopte de band.

Ze voelde zich een beetje raar, alsof ze iets gezien had wat ze niet mocht zien. Iets persoonlijks.

Wat was er gebeurd nadat Richard zijn hand over de lens had gelegd? Had hij de camera uit Alans hand gerukt? Alan tegen de grond geslagen? Hij leek er kwaad genoeg voor. Maar waarom?

Ze tikte met de afstandsbediening op de palm van haar hand. Ze kon natuurlijk verder kijken, maar de band zou haar niet vertellen waar de ruzie over ging. Ze zou het nooit weten, tenzij ze Richard ernaar vroeg en ze wist niet of ze dat wel moest doen. De ruzie was verleden tijd. En dat moest misschien maar zo blijven.

Toch moest ze steeds denken aan Richards gezicht, zijn boze ogen en zijn vertrokken mond. Wat had Alan gedaan of gezegd dat hem zo kwaad maakte?

Had ze Richard nog met Alan zien basketballen na dat feestje? Paula kon het zich niet herinneren.

Eén ding was zeker, dat deel van de band moest eruit. Paula drukte de terugspoelknop in, luisterde naar het zoemen van de video en zette de band stil. De foto van Robert kwam in beeld. Ze was te ver terug gegaan.

Ze drukte op de knop voor versneld doorspoelen en wachtte tot het apparaat in werking kwam. De recorder zoemde een seconde en stopte met een klik.

Paula drukte op afspelen. Er gebeurde niets.

Ze drukte op terugspoelen. Niets. Versneld naar

voren. De videorecorder maakte een piepend geluid, maar de band spoelde niet door.

Paula stond op en drukte op de knoppen van de videorecorder, maar er gebeurde niets. Het apparaat was kapot.

Mooi. Ze wilde die akelige scène toch niet meer zien. Niet eens om hem uit te wissen.

„Ik zie het probleem niet," zei Jenny de volgende ochtend op school. „Ik weet dat Alan dood is en ik mis hem waanzinnig, maar wees eerlijk, vroeg of laat zou iemand hem die camera uit zijn handen geslagen hebben."

„Ik heb niet gezegd dat Richard hem uit zijn handen sloeg," zei Paula. „Dat was maar een gok." Ze had uiteindelijk besloten haar vriendin te vertellen over Richards woedende reaktie op de band.

„Nou ja, wat maakt het uit." Jenny duwde de deur open en ze voegden zich bij de stroom scholieren in de gang. „Alan liet zich meeslepen door die stomme camera en het begon vervelend te worden. Richard had misschien een slechte bui en Alan maakte het alleen maar erger door hem met die camera te achtervolgen."

Paula keek Jenny aan. Ze waren op weg naar hun kluisjes. Opeens schoot haar iets te binnen. „Hé Jen, jij was er die keer zelf bij," merkte ze op. „Alan maakte die opname op het feestje dat Robert gaf omdat hij zijn rijbewijs had gehaald. Had Richard toen een slecht humeur?"

Jenny dacht even na en haalde haar schouders op.

„Dat weet ik echt niet meer, hoor," zei ze ten slotte. „Als het zo was, is het me in ieder geval niet opgevallen. Richard was stil, dat weet ik nog wel. Maar hij was hier net komen wonen. Hij kende bijna niemand."

„En hoe zat het met Alan?" drong Paula aan. „Toen hij weer binnenkwam, uit de gang of waar ook vandaan, leek hij toen overstuur? En is Richard vroeg weggegaan, of kwam hij weer binnen met Alan?"

Jenny schudde haar hoofd. „Spoor je wel, Paula? Ik heb niet de hele avond op die twee gelet, hoor. Ik vind dat je de hele zaak te veel opblaast."

„Misschien heb je gelijk," gaf Paula toe. „Maar ik wilde dat ik die scène niet gezien had. Het verandert alles."

„Waarom?" vroeg Jenny verbaasd. „Iedereen wordt toch weleens kwaad of verliest zijn geduld? Richard is het waarschijnlijk allang vergeten. Jij voelt je alleen opgelaten, omdat je het gezien hebt."

„Dat zal het wel zijn," zuchtte Paula. „Ik zal proberen het uit mijn hoofd te zetten."

„Mooi zo," zei Jenny. „Geef mij die band maar, dan zal ik je laten zien hoe je de apparatuur in het videolokaal moet gebruiken, zodat je dat stuk zelf kunt wissen. Dan hoeft niemand anders het te zien. En praat er met Richard ook maar niet over, anders wordt je tweede afspraakje misschien meteen je laatste."

„Oké," lachte Paula. Het lachen verging haar echter snel toen ze haar kluisje opende. Drie schriften en een stapel multomapblaadjes gleden eruit en vielen voor haar voeten. „Hé!"

„Wat is er?" vroeg Jenny.

„Mijn kluisje is overhoop gehaald!" riep Paula uit, terwijl ze de schriften opraapte. „Niks ligt meer op zijn plaats. Kijk," voegde ze eraan toe, wijzend op haar sjaal. „Deze hing op het haakje en nu ligt hij op de bodem."

Jenny lachte. „Weet je dan precies waar al je spullen lagen?"

„Wel als alles van zijn plaats gehaald is," antwoordde Paula. „Iemand heeft erin gerommeld, ik weet het zeker." Ze haalde het cijferslot eraf en bekeek het van alle kanten. „Dat is niet kapot," merkte ze op. „Denk je dat iemand de code ontdekt heeft? Of wacht, misschien hebben ze het opgezocht." De sloten en de cijfercombinaties werden aan het begin van het schooljaar toegewezen en de administratie hield er een lijst van bij. „Maar waarom zou iemand mijn kluisje willen openbreken?"

„Weet ik het." Jenny hing haar rugzak over haar andere schouder. „Had je er geld in liggen?"

„Nee." Paula schudde haar hoofd. „Raar, hè? Ik vraag me af of het ook bij anderen gebeurd is."

„Laten we het vragen." Jenny stak haar hand uit en greep de arm van de eerste de beste, die voorbij kwam. Het bleek Robert te zijn. „Paula denkt dat iemand in haar kluis geweest is," vertelde ze. „Hoe is dat bij jou?"

Robert keek nieuwsgierig in Paula's kluisje. „Echt?" vroeg hij. „Mis je iets?"

„Ik geloof het niet. Er zat trouwens niks waardevols in," antwoordde Paula. „Maar daar gaat het niet om."

Robert knikte en ging rechtop staan. „Nou, met mijn kluisje is niks aan de hand. Maar ik moet opschieten, ik heb een afspraak met een leraar. Misschien kun je het beter melden, Paula," voegde hij eraan toe, terwijl hij weg liep.

„Robert heeft gelijk," merkte Jenny op. „Meld het bij de administratie en vraag een nieuw slot."

Paula knikte. „Dat doe ik. Kijk jij je kluisje eens na."

Jenny lachte. „Ik zou alleen merken dat er iemand in geweest is, als ze het opgeruimd hadden. Maar ik kijk wel even."

Met deze woorden liep ze weg om haar kluisje te controleren en daarna naar haar klas te gaan.

Paula borg nadenkend haar jack en de gevallen blaadjes op. Ze begreep er niets van. Waren er nog meer kluisjes opengebroken? Of was het alleen om háár kluisje te doen? Nee, dat kon het niet zijn. Ze had niets wat de moeite van het stelen waard was.

Ze sloot haar kluisje, liep naar haar klas en probeerde het onbehaaglijke gevoel van zich af te zetten. Toen ze de hoek omsloeg, botste ze bijna tegen Richard aan.

„Hoi, Paula," zei hij met een glimlach.

Even moest ze denken aan zijn boze gezicht op de video. Paula knipperde dat beeld vlug weg en glimlachte terug. „Hallo."

„Wat is er?" vroeg Richard. Hij draaide zich om

en liep met haar mee. „Je kijkt zo bedrukt. Heb je een repetitie? Heb je je huiswerk niet gemaakt?"

Paula keek hem van opzij aan. Er was een plagende grijns op zijn gezicht verschenen.

Richard ging wat langzamer lopen en bleef ten slotte staan. „Nou, vertel op, wat is er aan de hand?" Zijn grijns verdween, hij zag er nieuwsgierig uit.

Paula bleef ook staan. „Niets," zei ze kortaf. Ze probeerde een uitvlucht te verzinnen en herinnerde zich opeens dat ze een prima excuus had. „Ze hebben alleen mijn kluisje opengebroken."

Dat was geen ramp en Paula verwachtte ook niet dat Richard het zo zou opvatten. Daarom verbaasde zijn reaktie haar vreselijk.

Richards nieuwsgierige blik verdween. Zijn gezicht verstrakte, zijn ogen werden donker en er verscheen een vage blos op zijn wangen. Paula zag dat hij woedend was en een beetje geschrokken deed ze een stap naar achteren.

Maak er een grapje over, hield ze zichzelf vlug voor. Vraag hem niet waar hij zich druk over maakt. Hij zal het je toch niet vertellen.

„Hé," zei ze zo luchtig mogelijk. „Er is ook goed nieuws, hoor. Er is niks gestolen. Maar nu moet ik naar mijn lokaal. Ik spreek je straks nog wel, oké?"

Ze was verdwenen, voordat Richard nog iets kon zeggen, maar Paula voelde zijn ogen in haar rug prikken.

Tussen de middag kwam Paula erachter dat geen enkele andere kluis was opengebroken. Ze was naar de administratie gegaan om een nieuw slot te halen. Ze moest daarvoor het oude slot inleveren en een formulier invullen. Mevrouw Gold, de administratrice, kon de formulieren niet meteen vinden. „Jij bent de eerste dit schooljaar, die een nieuw slot nodig heeft," zei ze, terwijl ze een la opentrok.

Paula keek ongeduldig op de klok. Als ze niet opschoot, kwam ze nog te laat voor geschiedenis.

„Ah, hier heb ik ze," zei mevrouw Gold, terwijl ze wat papieren uit de la trok. „Vul die even in, dan krijg je een nieuw slot. Intussen zal ik even een rapportje schrijven, voor het geval we meer klachten over inbraken krijgen."

Paula was juist bezig het formulier in te vullen, toen ze achter zich de deur hoorde opengaan.

„O mooi, daar ben je, Susan," zei mevrouw Gold.

Paula keek achterom. Susan stond in de deuropening. Ze keek Paula met opgetrokken wenkbrauwen aan. Op hetzelfde moment flitste het door Paula's hoofd dat de administratrice Susans moeder was. Hoe had ze dat kunnen vergeten?

„Ik ga nu meteen weg om het koffiezetapparaat te ruilen, dat ik gisteren gekocht heb," zei mevrouw Gold tegen Susan. „Er ligt nog wat typewerk in het bakje. Wees eens lief en ruim dat even voor me op. Ik ben met een uurtje weer terug." Ze trok haar jas aan, tilde een grote doos van de vloer en haastte zich het kantoor uit.

Susan liep om haar moeders buro heen. Ze ging zitten en keek Paula strak aan. „Wat doe jij hier?"

„Ik heb een nieuw slot nodig," vertelde Paula haar,

terwijl ze het formulier ondertekende. „Mijn kluisje is opengebroken."

„Opengebroken?" herhaalde Susan. „Hoe? Met een breekijzer of zo?"

Paula schudde haar hoofd. „Nee, ze hebben mijn cijfercombinatie gekraakt."

„Is er iets weg?"

„Niks. Ik geloof het niet, tenminste." Paula haalde het oude slot uit haar tas en legde het op het buro naast het formulier.

Susan verdween naar de kamer ernaast en kwam terug met een plastic zakje, waarin een nieuw slot zat. „Alsjeblieft," zei ze, terwijl ze het zakje op het buro legde. „De cijfercombinatie staat op het papiertje dat op het zakje geplakt zit. Onthou het en gooi het daarna weg."

„Dat heb ik met het vorige ook gedaan," zuchtte Paula. „Maar het heeft niet veel geholpen. Hé, er wordt hier op de administratie toch een lijst van alle cijfercombinaties bijgehouden?"

Susan kneep haar ogen tot spleetjes. „Wat bedoel je?"

„Ik bedoel..."

„Je bedoelt zeker dat je denkt dat mijn moeder mij de cijfercombinatie van jouw kluisje heeft gegeven," merkte Susan scherp op. „Dat wilde je toch zeggen?" Ze pakte Paula's oude slot en het formulier, en draaide zich om. Over haar schouder vroeg ze: „Waarom zou ik iets van jou willen hebben, Paula? Waarom denk je dat?"

„Dat denk ik helemaal niet," mompelde Paula. Wat

mankeerde Susan? „Ik bedoelde alleen..."

„Ik weet wel wat je bedoelde," onderbrak Susan haar weer. „Jij denkt dat ik het was. Nou, ik was het niet. Als ik iets van jou wilde hebben, zou ik het heus niet in je kluisje zoeken. Hoe zou ik moeten weten dat het erin zat?"

„Hoe zou je moeten weten dat wàt erin zat?" vroeg Paula verbaasd. „Ik begrijp niet waar je het over hebt, Susan!"

Susan klemde haar lippen op elkaar, haalde diep adem en blies langzaam uit. „Oké, laat maar zitten."

„Mij best." Paula pakte haar nieuwe slot en vertrok voordat Susan opnieuw kon uitvallen.

Terwijl ze zich naar het geschiedenislokaal haastte, probeerde Paula de hele zaak uit haar hoofd te zetten. Maar dat lukte haar niet.

Susans moeder werkte op de administratie. Paula had er helemaal niet bij stilgestaan. Mevrouw Gold werkte daar een paar uur per dag.

Susan kon de cijfercombinaties bekijken wanneer ze maar wilde. En ze had een onschuldige opmerking opgeblazen alsof ze zich schuldig voelde, alsof ze iets te verbergen had.

HOOFDSTUK 7

Paula vond geschiedenis niet bepaald het gemakkelijkste vak. Als ze niet goed oplette, miste ze een hoop belangrijke informatie. Die dag miste ze veel.

Gelukkig zat Robert bij haar in de klas, dacht ze dankbaar, toen ze hem zag zitten. Hij miste nooit iets. Misschien mocht ze vandaag weer zijn aantekeningen kopiëren, dus hoefde ze niet zo haar best te doen om bij de les te blijven.

Het was trouwens toch onmogelijk om haar gedachten erbij te houden. Ze kon Susans vreemde reaktie op haar opmerking maar niet uit haar hoofd zetten.

Paula probeerde zichzelf voor te houden dat Susan vandaag misschien wat prikkelbaar was. Nee, prikkelbaar was niet het goede woord. Een rothumeur, dat had ze.

Trouwens, Susan deed al een paar dagen zo. Misschien had ze ruzie met Bob of waren er problemen thuis en deed ze daarom zo vreemd.

Maar hoe zat dat met Richard? Wat was zíjn excuus? Waarom had híj zo woedend gereageerd toen Paula hem vertelde dat haar kluisje was opengebroken? Had hij ook problemen thuis? Met zijn moeder of zijn broer?

Maar dat had allemaal niets te maken met haar kluis. En pas nadat Paula hem daarover verteld had, was Richards gedrag veranderd.

Daarna was hij pas woedend geworden en had hij precies hetzelfde gereageerd als op Alans videoband.

Meneer Smith, de geschiedenisleraar, liep heen en weer voor de klas, en vertelde over de Koude Oorlog. Paula probeerde op te letten. Ze hield van zijn enthousiasme en vaak liet ze zich daardoor meeslepen.

Maar haar gedachten dwaalden telkens af naar Richard en dan verdween de stem van de leraar naar de achtergrond.

Toen Richard haar had gevraagd of ze met hem uit wilde, was Paula door het dolle heen geweest. Hij was leuk om te zien en in het begin van de avond was het hartstikke gezellig geweest. Ze kon hem toch niet zomaar laten vallen, omdat hij om de een of andere reden in woede was uitgebarsten? Dat was niet eerlijk.

Bovendien wilde ze Richard graag wat beter leren kennen. Zou ze hem dan aardig vinden?

„Juffrouw Martins," onderbrak een stem opeens Paula's gedachten. „Ik heb het gevoel dat uw gedachten een heel andere kant opdwalen dan die van de anderen."

Het was de stem van meneer Smith. Paula voelde dat ze begon te blozen toen een paar klasgenoten begonnen te lachen.

Meneer Smith stond vlak naast haar. De leraar keek haar vriendelijk aan. „Alles in orde, Paula?"

Ze kon maar beter de waarheid zeggen, dacht Paula. „Ik mankeer niets," zei ze vlug. „Ik kan me alleen niet zo goed concentreren."

„Je bedoelt dat ik vandaag niet zo boeiend ben als anders?" De leraar glimlachte en liep weg zonder op antwoord te wachten.

Paula zuchtte en probeerde er de rest van de les bij te blijven.

Na de les liep ze met Robert de klas uit.

„Ik denk dat ik mijn aantekeningen van vandaag ook maar beter kan kopiëren," zei hij ernstig. „Waar zat je in vredesnaam met je gedachten?"

„Ik zat aan andere dingen te denken," mompelde Paula. „En ik ben je eeuwig dankbaar als ik je aantekeningen van deze les kan krijgen. Alvast bedankt."

„Geen dank." Robert wilde weglopen, maar bedacht zich opeens. „O Paula, ik zou dit nog aan Jenny geven." Hij zocht in zijn tas en haalde er een dikke map uit. „Het is een script voor een videofilm. Wil jij het even aan haar geven? We hadden na de lessen afgesproken, maar ik moet naar de tandarts, dus ga ik vroeger weg."

„Komt in orde." Paula klemde de map onder haar arm.

„Hartstikke bedankt," zei Robert.

Paula beloofde de map persoonlijk aan haar vriendin te overhandigen en ging door naar de volgende les.

De rest van de dag was Richard geen seconde uit haar gedachten. En toen Paula hem na school opeens in levenden lijve zag, voelde ze zich nogal opgelaten. Zouden haar gedachten op haar gezicht te lezen zijn?

Maar als Richard al merkte dat ze niet op haar gemak was, dan liet hij dat in ieder geval niet merken. Hij was weer in zijn gewone doen, vriendelijk en plagend, bijna flirtend. Van de koele, afstandelijke, geheimzinnige Richard was geen spoor te bekennen.

„O trouwens, ik moet je nog iets vertellen," zei hij, toen hij een stukje meeliep met Paula, die op weg was naar het videolokaal.

„Waarover?" Paula keek met een ruk op. Misschien wilde hij haar uitleggen waarom hij zo woedend had gereageerd.

„Ik heb vandaag een bagagedrager over," grijnsde Richard, terwijl hij zijn arm om haar schouders sloeg. „Ik ben op de fiets. Dus..."

Paula trok haar wenkbrauwen op. „Dus?"

Hij kneep even uitdagend in haar schouder. „Dus waarom zou ik je niet even thuis brengen voor ik naar mijn werk ga?"

„O... oké."

„Het is maar een onschuldig aanbod, hoor," plaagde Richard. „Je hoeft niet zo enthousiast te reageren."

Paula schudde haar hoofd. „Ik rijd graag met je mee," mompelde ze. Ze tikte op de map, die Robert haar gegeven had. „Maar eerst moet ik iets aan Jenny geven. Het is zo gebeurd. Je kent Jenny Berger toch?" ging ze verder, terwijl ze samen naar het videolokaal liepen.

„Jazeker. Maar niet zo goed."

Paula kneep haar ogen tot spleetjes. „Robert heeft in september een feest gegeven. Ik dacht dat Jenny me vertelde dat jij er ook was." Ze bestudeerde Richard vanuit haar ooghoeken en vroeg zich af of hij nog iets zou zeggen over de ruzie met Alan, die ze op de video gezien had.

Maar juist op dat moment kwam er een groepje leerlingen de hoek om. Richard en Paula werden in het gedrang uit elkaar gedreven en tegen de tijd dat ze weer naast elkaar liepen, was Richard haar opmerking kennelijk alweer vergeten.

Paula besloot maar niet meer over het feest te beginnen. Als Richard er iets over wilde zeggen, zou hij dat wel doen. En misschien had Jenny wel gelijk en was hij het allang vergeten.

Jenny was niet in het videolokaal. Er was helemaal niemand.

„Vreemd," merkte Paula verbaasd op. „Er is hier haast altijd wel iemand."

Richard keek om zich heen naar de videorecorders en de monitoren, de planken met videobanden en de dikke kabels die in de hoeken van het lokaal kronkelden. „Kom jij hier weleens?"

Paula leunde tegen een van de tafels en schudde haar hoofd. „Nee, eigenlijk niet." Ze zuchtte. „Robert kennende, kan ik dit maar beter persoonlijk overhandigen," zei ze. Ze haalde de map uit haar tas. „Het is een script. Wie weet hoe lang hij eraan heeft gewerkt."

Richard keek even hoe laat het was op de grote, ronde klok aan de muur.

„Ik dacht echt dat Jenny hier zou zijn," merkte Paula op. „Ik had haar die map al eerder willen geven, maar ik zag haar nergens."

„Ik heb nog een paar minuten, dan moet ik echt weg," waarschuwde Richard haar.

Maar die minuten gleden voorbij en nog was Jenny er niet.

„Je moet gaan," zei Paula.

„Ja, helaas." Richard liep naar haar toe, hield zijn hoofd schuin en er verscheen een glimlach op zijn gezicht. Het leek erop dat hij haar wilde kussen, maar juist op dat moment kwam Susan het lokaal binnenstuiven. Toen ze Richard en Paula zag, bleef ze staan en zei: „O."

Richard keek haar licht fronsend aan. Vervolgens keek hij weer naar Paula en gaf haar een knipoog. „Een andere keer dan maar, oké?"

„Goed." Paula vroeg zich af of hij het over de lift of een zoen had. Ze zou het moeten afwachten. „Tot morgen."

„Sorry, hoor," zei Susan tegen Paula, nadat Richard vertrokken was. „Ik wist niet dat hij hier was."

Paula haalde haar schouders op. Ze tilde haar rugzak van de grond en controleerde of ze haar geschiedenisboek er wel in had gedaan.

„Ik... eh, ik zocht je," ging Susan verder.

Paula keek verbaasd op. Ze zag dat Susan een blik wierp op haar rugzak. „Ik weet het, hij valt bijna uit elkaar," lachte Paula, terwijl ze haar wijsvinger in de brede scheur in het voorvak stak. „O mooi, daar is mijn boek." Ze deed de tas weer dicht en liet hem op de grond zakken. „Waarom zocht je mij?"

Susan beet nerveus op haar lip. „Ik wilde mijn excuses aanbieden. Voor wat er vanmiddag op de administratie gebeurde, bedoel ik. Ik deed nogal onaardig tegen je."

„Ach joh, dat ben ik allang weer vergeten," stelde Paula haar gerust. Ze was een beetje verbaasd. Had Susan haar overal gezocht, alleen om haar excuses aan te komen bieden?

„Tof van je." Susan keek op de klok. „Bedankt, Paula. Tot ziens." Met een opgelucht gezicht draaide ze zich om en liep net zo snel het lokaal uit als ze binnen was gekomen.

Paula bleef in haar eentje achter. Ze slenterde de klas rond en begon ongeduldig te worden. Waar bleef Jenny in vredesnaam? En waar waren de anderen?

Ze bedacht dat ze het script misschien voor Jenny achter kon laten met een briefje erbij. Maar als er iets met de map gebeurde, zou Robert haar dat natuurlijk vreselijk kwalijk nemen. Paula liep naar de deur en keek de gang in. In de verte hoorde ze stemmen en voetstappen, maar er kwam niemand haar kant uit.

Jenny was vast al onderweg. Paula besloot haar vriendin tegemoet te lopen. Ze liet de deur van het lokaal achter zich dichtvallen, liep de gang uit en sloeg de hoek om.

Aan het andere einde van de gang, net voorbij het videolokaal, ging langzaam een deur open.

Toen Paula het videolokaal verliet, was het leeg. Er zou ook niemand in het lokaal zijn tegen de tijd dat ze terugkwam. Maar tussen die twee momenten in zou iemand daarbinnen haastig zijn slag slaan.

Toen ze de hoek om was, kwam Paula langs de toiletten. Ze liep vlug naar binnen om wat water te drinken. Er schoot iemand voorbij toen ze weer naar buiten kwam. Paula zag alleen een paar sportschoenen en een donkere jas om de hoek verdwijnen. Enorme voeten. Niet die van Jenny.

Doelloos slenterde ze naar het mededelingenbord en las wat erop stond over het schooltoneel, de computerclub en de komende verkiezingen voor de leerlingenraad. Paula's blik gleed opnieuw door de gang. Jenny moest van die kant komen, want daar was haar kluisje.

Maar wie er ook kwam, geen Jenny.

Net toen Paula zich van het bord weg wilde draaien, viel haar oog op een mededeling over de komst van een televisieregisseur, die vandaag een lezing op hun school zou houden.

Dat verklaarde alles! Jenny en de andere videofanaten zaten natuurlijk in de aula naar die lezing te luisteren.

Zuchtend ging Paula terug naar het videolokaal. Ze zou even bij de aula langsgaan en als ze Jenny daar zag, zou ze haar vriendin het script geven. Zag ze Jenny niet, dan kwam het morgen wel. Het was vast niet zo belangrijk dat het niet een dag kon wachten.

Even later stond Paula weer bij het videolokaal. Ze duwde de deur open en ging naar binnen.

Er was nog steeds niemand, maar nu begreep ze tenminste waarom. Halverwege het lokaal bleef Paula opeens staan. Ze had zomaar het gevoel dat er iets veranderd was.

Ze keek het lokaal rond. De recorders stonden nog op dezelfde plaats, de klok aan de muur tikte door, de kabels en snoeren kronkelden over de vloer. De monitoren waren uitgeschakeld en de schermen staarden haar als lege, donkere ogen aan.

Toch was er iets...

De huid in haar nek prikte en Paula keek snel over haar schouder. Er stond niemand achter haar.

Ze riep zichzelf streng tot de orde en liep naar de tafel waar ze de map had achtergelaten. Paula wilde hem net in haar tas stoppen, toen ze zich realiseerde wat er veranderd was.

Haar rugzak lag op een tafel. Maar zij had hem op de grond laten staan.

Snel maakte Paula de tas open en keek erin. Ze zag schriften, boeken, een etui, een appel, een haarborstel, haar huissleutel, elastiekjes en haar portemonnee. Ze maakte de portemonnee open en telde haar geld. Al het geld dat ze die ochtend had meegenomen, zat er nog in. Er was niets gestolen.

Maar er was hier iemand binnen geweest, terwijl zij op zoek was naar Jenny en diegene had haar rugzak doorzocht.

Het was stom geweest om hem hier te laten staan, maar gelukkig miste ze niets.

Paula griste de map van tafel, hing de rugzak over haar schouder en liep naar de deur.

Opeens bleef ze staan. Er was haar iets te binnen geschoten. De koude rillingen liepen over haar rug. Haar geld was niet weg... maar waar hadden ze dan naar gezocht?

HOOFDSTUK 8

Een half uur later zag Paula, zittend op de grond met haar rug tegen de muur, Jenny uit de aula komen.

„Wat doe jij hier?” vroeg Jenny verbaasd.

„Op jou wachten.” Paula pakte haar spullen en kwam overeind. „Robert vroeg of ik dit aan je wilde geven.” Ze gaf Jenny de map.

Jenny opende de map en keek er even in. „O, zijn script,” zuchtte ze. „Ik had gehoopt dat hij het zou vergeten. Het is een goed plan, maar ik wil niet met hem samenwerken. Ik heb zo mijn eigen ideeën.” Ze sloeg de map dicht en keek naar Paula. „Je had hier niet al die tijd op me hoeven wachten om dat ding te geven, maar toch bedankt. Ga je lopend naar huis?”

„Dat zal wel moeten,” knikte Paula. „Richard bood me een lift aan, maar hij kon niet langer wachten.”

„Richard?” Jenny grijnsde veelbetekenend. „Dat betekent dan zeker dat hij nog steeds een oogje op je heeft.”

„Doe niet zo stom.” Paula had nu geen zin om over Richard te praten. Ze was nog te veel bezig met wat er met haar tas gebeurd was.

„Ik dacht dat je na schooltijd wel in het videolokaal te vinden zou zijn,” begon ze, terwijl ze met haar vriendin door de gang liep. „Daar ben ik eerst geweest.”

„Ja, ik was ook van plan om daar naartoe te gaan. Tot de lezing me te binnen schoot,” antwoordde Jenny.

Paula knikte en duwde de deur open. Ze liepen de

koude buitenlucht in. Het begon al te schemeren. De auto's hadden hun lichten aan.

„Ik heb daar een tijdje gewacht en toen ben ik je gaan zoeken," ging Paula verder. „Toevallig las ik op het mededelingenbord over de lezing, dus wist ik waar je was." Ze huiverde en niet alleen van de kou. „Weet je, Jenny, terwijl ik je aan het zoeken was, heb ik mijn rugzak in het videolokaal laten staan. Toen ik terugkwam, ontdekte ik dat iemand erin heeft zitten rommelen."

„Eerlijk? Mis je iets?"

Paula schudde haar hoofd.

„Nou, daar ben je dan mooi klaar mee." Jenny haalde een paar handschoenen uit haar zak en trok ze aan. „Toch vreemd, hè? Eerst je kluisje en dan je rugzak."

Paula huiverde weer. „Daar dacht ik ook aan. Het is niet alleen vreemd, het is doodeng."

„Ach welnee, joh. Het is gewoon toeval." Jenny keek Paula oplettend aan. „Ja toch?"

„Misschien wel, misschien ook niet," zei Paula langzaam. „Weet je nog dat ik je van die rare telefoontjes vertelde?"

Jenny knikte.

„Zaterdagavond toen ik thuiskwam, had ik het gevoel dat er iemand in ons huis geweest was. Daarna is mijn kluisje opengebroken," somde Paula op. „Er heeft iemand in mijn rugzak gesnuffeld. Toch is er niets ernstigs gebeurd. Er is niemand gewond, er is niets gestolen... het is net of iemand me bang wil maken."

Jenny fronste haar wenkbrauwen. „Waarom zou iemand dat willen?”

„Ik weet het niet,” bekende Paula. „Maar je leest weleens zulke dingen in de krant. Over de een of andere maniak die iemand het leven zuur maakt.”

„Maniak?” Jenny keek haar vriendin weifelend aan. „Ik denk dat je je maar wat inbeeldt. Ik bedoel, waarom zou iemand jou bang willen maken?”

„Tja, waarom doen mensen zoiets?” vroeg Paula schouderophalend. „Dat soort mensen hoeft geen reden te hebben. Ze zijn gewoon niet normaal.”

„Ja, dat zal wel.” Jenny klonk nog niet overtuigd. „Maar het kan ook een samenloop van omstandigheden zijn.”

„Dan is het zeker toeval dat alleen *míjn* kluisje werd opengebroken?” vroeg Paula.

„Maar op school worden zoveel tassen doorzocht,” zei Jenny spits. „En iedereen krijgt weleens een telefoontje waarbij meteen wordt neergelegd.”

„Dat weet ik wel,” gaf Paula met tegenzin toe. „Het is alleen vreemd dat al die dingen bij mij tegelijk gebeuren. En er is niks meegenomen uit mijn kluisje en mijn tas. Het is net of het alleen voor de grap was. Een enge grap.” Ze huiverde weer. „Het maakt me bang.”

Ze kwamen bij de hoek waar hun wegen naar huis zich scheidden. Jenny bleef staan. „Wat ga je nu doen?” wilde ze weten.

„Geen idee,” bekende Paula. „Ik bedoel, ik kan het best mis hebben. Maar als het wel zo is, moet ik op mijn hoede zijn.”

Nadat Paula en Jenny ieder een andere kant op waren gegaan en Paula naar huis liep, vroeg ze zich af hoe ze in vredesnaam op haar hoede kon zijn voor iemand die ze nooit gezien had.

Misschien maakte ze alleen zichzelf bang. Misschien had Jenny gelijk en was het allemaal toeval.

Er passeerde een auto. De wagen reed door een diepe plas en het water spatte hoog op. Paula sprong opzij, maar ze werd nog net besproeid door een regen smerig water. Ze draaide zich om en wierp een woedende blik in de richting van de auto. Tegelijkertijd zag ze de koplampen van een andere auto aankomen. Ze ging wat dichter bij de huizen lopen.

Maar de auto reed niet voorbij. Paula keek over haar schouder en zag dat de wagen snelheid minderde. Hij reed heel langzaam achter haar aan.

Bij het einde van het blok sloeg Paula de hoek om en keek weer over haar schouder. De auto was er nog steeds.

Vlug versnelde Paula haar pas. Haar hart bonsde in haar keel. Een stukje verderop begon ze te rennen.

Ze bleef rennen tot ze bij huis was. Met kloppend hart en een droge mond holde ze het tuinpad op, graaide naar haar sleutels en opende de deur, die ze met een klap achter zich dichtsloeg.

Door het raampje in de deur gluurde ze naar buiten. Er reden een paar auto's voorbij. Een was donker van kleur, net als de wagen die achter haar had gereden. Maar ze wist niet zeker of het dezelfde was.

Paula was er bovendien niet zeker van dat de auto haar wel gevolgd had. Het leek erop, maar misschien zou Jenny zeggen dat het toeval was of verbeelding.

Haar ademhaling was weer bijna normaal, toen er iets langs Paula's been streek. Ze sprong verschrikt opzij.

Het was Mickey, die naar buiten wilde.

Paula deed de deur open en hij glipte erdoor, zijn oren nerveus bewegend om de geluiden buiten op te vangen.

Er stond een boodschap van haar moeder op het antwoordapparaat. Mevrouw Martins zou pas om half acht thuis komen, haar vader zelfs nog later, en of Paula de wasmachine vast aan wilde zetten.

Paula maakte een boterham met pindakaas voor zichzelf klaar en tikte het nummer van Jenny in. Ze moest haar vriendin over de auto vertellen. Tot haar grote teleurstelling was de lijn bezet. Straks nog maar eens proberen. Paula at haar boterham op, terwijl ze de tv aanzette. Na een paar minuten probeerde ze Jenny weer te bereiken. Nog in gesprek.

Jenny zou haar trouwens waarschijnlijk toch uitlachen. Maar dat had Paula misschien wel nodig. Toen ze na een poosje weer belde, werd er niet opgenomen.

Paula ging naar boven, leegde de wasmand en stopte de was in de machine. Ze had hem net aan gezet toen ze de telefoon hoorde. Ze vloog naar beneden. In de kamer aangekomen, hoorde ze net het antwoordapparaat afslaan.

Paula wilde de boodschap afluisteren, maar de beller had er geen achtergelaten.

Het heeft niets te betekenen, hield ze zichzelf

streng voor. Ga nu niet weer spoken zien.

Opeens hoorde ze iets bij de achterdeur. Paula's hart sloeg over. Even later klonk het geluid opnieuw. Op hetzelfde moment wist Paula wat het was. Ze slaakte een zucht van opluchting. Mickey had zijn klauwen onder de tochtstrip gezet en trok eraan. Het was zijn manier van aankloppen.

Paula liet de kat binnen, deed alle deuren op slot en ging naar boven. Het huis van de buren was donker en verlaten.

Op haar kamer trok ze het rolgordijn naar beneden, ging languit op bed liggen en probeerde een paar hoofdstukken in haar biologieboek te lezen. Maar haar oogleden werden steeds zwaarder... Ten slotte sloeg ze het boek dicht, deed het licht uit en dommelde in.

Paula droomde van geluiden. Het stuiteren van de basketbal, een klik van de telefoon, het zoeven van autobanden op straat. Ze wist dat ze droomde, maar de geluiden leken zo echt dat ze steeds wakker schrok.

Ze voelde de bobbelige sprei onder zich en hoorde Mickey bij haar oor spinnen. Ze draaide zich om en zakte weer weg.

Ze hoorde ook stemmen in haar droom. Er schreeuwde iemand. Paula kon de woorden niet verstaan, maar ze wist dat het de stem van Alan was. Ze hoorde Susan zeggen dat het haar speet en Jenny en Robert hadden het over samenwerking. Ze hoorde de woorden 'pas op' en schrok weer even wakker. Dat was Richards stem geweest.

Ze voelde zich steeds zwaarder worden, alsof ze in het matras wegzonk. Paula wist waar ze was en dat ze droomde, maar ze kon zich er niet toe zetten wakker te worden. De stemmen en geluiden vloeiden in elkaar over. Ze probeerde te volgen wat er gebeurde, maar het was te verwarrend. Ze sloot de geluiden buiten en zonk dieper in slaap.

Toen Paula wakker werd, was het donker in de kamer. Ze was stijf, alsof ze haar spieren al die tijd had gespannen. Ze keek op de wekker. Het was kwart over zes. Ze had drie kwartier geslapen.

Mickey lag naast haar op het kussen met zijn pootjes onder zich getrokken. Zodra hij ontdekte dat ze wakker was, begon hij weer te spinnen.

Boven dat geluid uit, hoorde Paula nog iets anders.

Het angstzweet brak haar uit, omdat ze het geluid niet thuis kon brengen.

Ze kneep haar ogen tot spleetjes en luisterde. De kat verschoof en keek haar aan. Opeens verwijdden zijn ogen zich en zijn oren bewogen in de richting van het raam. Mickey had het dus ook gehoord.

Een knisperend geluid, alsof iemand chips at... of op zijn tenen buiten over het licht bevroren grasveld liep.

HOOFDSTUK 9

Paula kwam half overeind en luisterde nog eens.
Stilte.
Misschien een hond, dacht ze. Maar honden liepen nooit voorzichtig.
Mickey ging staan en rekte zich uit. Even later rolde hij zich op en ging weer slapen.
Paula schoof achterwaarts van haar bed en liep naar het raam. Ze schoof het rolgordijn een stukje opzij en keek naar buiten.
Het was daar net zo donker als in haar kamer. Paula zag niets. Ze liep bij het raam vandaan, om haar bed heen. Ze wilde net het licht aandoen, toen ze het geluid weer hoorde.
Haar hand bleef bij het lichtknopje zweven en ze luisterde in het donker.
Beslist geen hond.
Er was iemand buiten, in de tuin. Iemand die over krakende bladeren, takjes en het licht bevroren gras liep en dat zo geruisloos mogelijk probeerde te doen.
Iemand, die haar probeerde bang te maken. En dat lukte aardig.
Paula's hart bonsde en het koude zweet brak haar uit. Toch was het niet alleen angst. Diep in zich voelde ze ook een vleugje kwaadheid.
Die boosheid nam toe toen ze haar kamer verliet en naar beneden ging. Ze moest toch alleen in huis kunnen zijn zonder bang te hoeven worden? Waarom vielen ze haar lastig met geheimzinnige telefoontjes, inbraken en achtervolgingen?

Paula keek even in de keuken. Beide deuren zaten op slot. Ze liep naar de voordeur, zag dat die ook op slot was en deed de ketting ervoor. In de huiskamer deed ze het licht uit, zodat ze van buitenaf niet gezien kon worden. Ze draaide zich om en wilde weer naar de keuken gaan.

Op hetzelfde moment hoorde ze het geluid weer, nu aan de voorkant van het huis. Midden in de kamer bleef ze staan luisteren om er zeker van te zijn.

Ja, daar was het. Bij het raam.

Paula dacht razendsnel na. Ze moest het alarmnummer bellen. Ze zou zeggen dat de politie geen sirene moest gebruiken. Ze wilde dat de insluiper verrast zou worden. Misschien kon de politie een zoeklicht op het huis richten en haar belager in het licht vangen. Hem de stuipen op het lijf jagen, zoals hij haar bang maakte.

Maar ze moest wel opschieten, anders was hij misschien verdwenen.

Paula pakte de hoorn van de telefoon. Op hetzelfde ogenblik ging de deurbel. Ze schrok zo, dat ze de hoorn liet vallen. Die sloeg tegen de muur en zwaaide wild heen en weer.

De deurbel ging opnieuw.

Dacht hij nou echt dat ze naar de deur zou komen?

Paula pakte de zwaaiende hoorn, bracht hem bij haar oor en wilde net het nummer intoetsen, toen ze een stem door de brievenbus hoorde.

„Hallo? Is daar iemand?”

Langzaam liet Paula haar hand zakken. Ze kende die stem. Ze had hem net nog in haar slaap gehoord.

Ze hoorde hem bijna elke dag op school. Het was Robert!

„Paula?" hoorde ze hem roepen. Daarna zei hij nog iets, maar ze kon niet verstaan wat.

Paula legde de hoorn neer en liep naar de voordeur. Ze knipte het buitenlicht aan, opende de deur op een kier, maar liet de ketting ervoor zitten.

Robert was blijkbaar net van plan om weg te gaan. Hij draaide zich om. „O, hoi Paula. Je bent er toch!"

„Wacht even." Ze slaakte een zucht van opluchting toen ze zag dat hij het echt was en deed de deur dicht, haalde de ketting eraf en zwaaide de deur open. „Kom erin."

„Ik dacht al dat er iemand thuis was," zei hij bij het binnenkomen. „Ik zag namelijk een lamp uitgaan, toen ik aan kwam lopen."

„Dat deed ik," zei Paula. Ze keek naar buiten, maar er was verder niemand te zien. Haar belager was natuurlijk allang gevlucht.

„Doe je altijd de lichten uit om half zeven?"

„Er liep iemand om het huis." Paula sloot de deur en deed hem weer op slot.

Robert keek haar aan alsof hij dacht dat het haar in de bol geslagen was. „Ja, natuurlijk. Dat was ik."

Paula schudde ongeduldig haar hoofd. „Jij niet. Er was iemand anders buiten. Ik hoorde het al een hele tijd voordat jij kwam. Heb je iemand gezien?"

„Nee," antwoordde hij. „Wil je dat ik buiten een kijkje ga nemen?"

„Dat hoeft niet. Hij zal intussen wel verdwenen zijn," zuchtte Paula.

Robert keek haar bezorgd aan. „Weet je wie het was, Paula?"

„Geen idee," antwoordde ze. „Een of andere engerd probeert me de stuipen op het lijf te jagen, dat is alles wat ik weet."

Ze ging Robert voor naar de huiskamer. „Ik wilde net de politie bellen, toen ik jou bij de deur hoorde," zei ze over haar schouder.

„Dat zou een sensatie geweest zijn," grinnikte Robert. Hij stak zijn armen omhoog. „Ik ben onschuldig, agent. Ik bracht haar alleen wat aantekeningen."

„Ik zou je wel vrijgepleit hebben, hoor," lachte Paula, die zich wat meer op haar gemak voelde. „Zei je dat je de aantekeningen van geschiedenis kwam brengen?"

Robert knikte en gaf haar een stapeltje papieren. „Overmorgen proefwerk, weet je nog?"

„Dat heb ik niet gehoord," kreunde Paula geschrokken. Ze was in de klas ook zo afwezig geweest. Ze pakte de aantekeningen en bladerde ze door. „Bedankt. Te gek. O trouwens, ik heb je script aan Jenny gegeven, dan weet je het vast."

„Fijn." Robert glimlachte en deed een stap in de richting van de deur.

Hij wilde vast naar huis om te leren, zodat hij een tien in plaats van een negen haalde, dacht Paula. Maar ze wilde niet dat hij vertrok. Als ze lang genoeg bleef praten, kon ze hem misschien hier houden tot er iemand thuis kwam.

„Wil je iets drinken of zo?" vroeg ze vlug. „Of iets eten? Dan heb ik tenminste het gevoel dat ik iets terug doe voor de aantekeningen." Ze keek de kamer rond. „Of wil je televisie kijken? Of een film? O nee, dat kan niet. De videorecorder is stuk en hij is nog niet weggebracht."

„Eh... Paula..."

„Hij ging kapot toen ik naar Alans videoband zat te kijken," vervolgde ze. „Daar heb ik je toch over verteld? Maar zodra ik die band helemaal heb gezien en zeker weet dat er geen vervelende dingen op staan..."

„Paula?"

„Ik weet het, ik ratel maar door." Paula hield op en keek Robert schuldbewust aan. „Sorry, maar ik was net hartstikke bang. Ik denk dat ik nog steeds een beetje zenuwachtig ben."

Robert keek haar aan alsof hij aan haar gezonde verstand twijfelde.

„Laat maar," zei ze. Ze wilde geen figuur slaan door hem te smeken nog even te blijven. „Het is alweer over. Bedankt voor de aantekeningen."

Maar Robert twijfelde toch minder dan Paula dacht, want hij zei: „Weet je wat? Geef me een zaklantaarn, dan ga ik buiten even voor je kijken."

Paula slaakte een zucht van opluchting. Ze bedankte hem nogmaals, ging naar de keuken, vond een zaklantaarn en gaf die aan hem. Ze bleef wachten bij de voordeur en hoorde hem rond het huis lopen. Ze hoorde het gekraak van de bladeren en het gras, maar het geluid maakte haar nu niet bang.

„Niks te zien," verkondigde Robert, terwijl hij naar de voordeur liep en haar de lantaarn overhandigde.

„Niet dat ik precies wist waar ik naar moest zoeken, maar er zit niemand verscholen achter de struiken, dat kan ik je wel vertellen.”

Er zat niemand verscholen, dacht Paula, terwijl ze Robert nakeek. Nu niet meer. Maar er was wel degelijk iemand geweest.

En wie weet, kwam hij terug.

Het had ’s nachts gesneeuwd en toen Paula de volgende ochtend naar school ging, sneeuwde het nog steeds. Jammer dat het niet eerder gebeurd was, dacht Paula. Dan had Robert buiten voetstappen gezien.

Maar als hij ze gezien had, wat had ze dan moeten doen? De politie zou heus niet komen omdat er iemand rond het huis gelopen had. Wanneer zouden ze wel komen? Als er iets met haar gebeurde? Niet met haar kluisje, niet met haar rugzak, maar met háár?

„Dat doen zulke maniakken toch meestal niet, hè?” vroeg ze Jenny toen ze haar vriendin in de gang tegenkwam.

„Ook goeiemorgen.” Jenny deed de capuchon naar beneden van het regenjack, dat ze van Paula geleend had. „Waar heb je het over? Wat doen zulke lui meestal niet?”

„Mensen echt kwaad doen.”

„Geen idee. Jij bent de expert,” grinnikte Jenny.

Paula keek haar fronsend aan. „Het is niet leuk, hoor. En het is ook geen verbeelding. Ik heb me echt niet verbeeld dat er gisteravond iemand door onze tuin liep. Ik had bijna de politie gebeld.”

Jenny sperde haar ogen open. „Wat gebeurde er? Waarom heb je niet gebeld?"

Paula vertelde dat Robert op dat moment was gekomen en dat hij de hele tuin had doorzocht. „Hij zag natuurlijk niemand. Toch was er wel iemand. Maar als ik nu de politie zou bellen, zouden ze het niet geloven. Ze zouden in ieder geval niks kunnen doen."

Ze waren intussen bij de kluisjes gekomen en Paula pakte het stukje papier met de nieuwe cijfercombinatie. Ze opende het kluisje en inspekteerde de inhoud. Mooi, alles was nog net zo als de vorige dag.

„In ieder geval," vervolgde ze, terwijl ze een paar boeken in haar kluisje legde, „heb ik mezelf ervan proberen te overtuigen dat ik niet bang hoef te zijn, want als zo'n maniak zijn slachtoffer iets aandoet, is de lol er meteen af, denk je ook niet?"

„Zoals ik al zei, ik weet het niet." Jenny hief afwerend haar hand op, alsof ze dacht dat Paula haar zou slaan. „Ik plaag je echt niet. Ik weet het gewoon niet."

„Maar je denkt nog steeds dat ik me iets inbeeld, hè?"

„Dat heb ik nooit gezegd." Jenny keek haar vriendin beledigd aan. „Ik denk dat het gewoon te maf klinkt om waar te zijn, dat is alles."

„Ja, ik snap je wel," zei Paula met een lach. „Sorry. Het is ook vreemd allemaal. Trouwens," voegde ze eraan toe, „ik heb Alans band bij me." Ze klopte op haar rugzak. „Misschien kun je me na schooltijd laten zien hoe ik dat ene stuk eruit moet halen."

„Oké." Jenny wilde zich omdraaien om weg te

gaan, maar bedacht zich. „Hé, maak je niet te veel zorgen, hè? Ik snap dat het eng is, maar je weet nog steeds niet zeker of iemand het echt op je gemunt heeft. Misschien kunnen we iets bedenken om erachter te komen."

„En wat doen we dan?" vroeg Paula. „Als we de waarheid weten, bedoel ik."

Jenny grinnikte. „Dàn kun je je zorgen gaan maken."

Paula voelde zich beter, nu ze wist dat Jenny haar steunde. Ze waren vanaf de basisschool vriendinnen en hadden nog nooit echt ruzie gehad. Jenny had een scherpe geest. Als iemand Paula hiermee kon helpen, was zij het wel. Jenny was ook niet bang uitgevallen. Als er een maniak was, zou zij waarschijnlijk boven op hem gaan zitten, terwijl Paula de politie belde.

Maar stel nou eens dat er niemand was? Tijdens de lunchpauze, toen Robert het niet kon laten om in geuren en kleuren te vertellen hoe hij met een zaklantaarn rond hun huis was geslopen, was Paula zelfs in staat erom te lachen.

„Ik kon er niks aan doen," zei ze om zich te verdedigen. „Misschien was het overdreven, maar ik was echt bang."

„Ik snap niet hoe je erom kunt lachen," merkte Susan op. „Ik las laatst over een aktrice die door een maniak werd gevolgd, en zij werd vermoord."

„Hartelijk bedankt, Susan," mompelde Paula.

„Nou," beaamde Robert. „Leuke opmerking om Paula op te vrolijken."

„Ik wil alleen maar zeggen dat ze voorzichtig moet zijn," protesteerde Susan. Ze keek naar Paula. Haar blauwe ogen, meestal koel en afstandelijk, stonden helder en strak. „Misschien is het geen grap."

Paula schoof heen en weer op haar stoel, en keek naar Richard, die aan de andere kant van de tafel zat. Met een lichte glimlach om zijn mond keek hij haar aan. Hij zei niets, maar het leek erop dat hij haar duidelijk probeerde te maken dat ze geen aandacht aan Susan moest schenken.

Paula keek weer naar Susan. „Tja," zei ze, „ik beloof dat ik voorzichtig zal zijn. Trouwens, als ik al bezig ben gek te worden, weet ik ook waarom. Dat komt omdat er een geest bij me is."

Richard sloeg zijn handen voor zijn gezicht, alsof hij niet kon geloven wat hij hoorde.

„Echt," knikte Paula. „Alan. Soms droom ik dat ik hem hoor basketballen. Gisteren, voordat Robert kwam, viel ik in slaap en hoorde ik zijn stem. Alans stem."

Paula hield op. Iedereen staarde haar aan. Zelfs Bob, die meestal alleen naar Susan keek, had zijn ogen op haar gericht.

Ze lachte. „Het is niet wat jullie denken," legde ze uit. „Ik geloof niet echt dat er een geest is. Ik bedoel alleen dat ik nog veel aan hem denk."

„Je bent niet de enige," zei Susan. Haar stem klonk hoog en schril.

„Ik weet het," zuchtte Paula. „Ach, laat ook maar. Ik weet niet hoe ik het moet zeggen. Maar jullie weten toch dat ik die videoband heb? Die ik van zijn moeder heb gekregen? Ik wil hem bewerken. Nou ja, Jenny doet het en ik help haar erbij. We beginnen vanmiddag na school en als we klaar zijn, houden we een soort filmvertoning."

„Klinkt leuk," zei Bob. „Maar Alan heeft het opgenomen. Dus die komt er helemaal niet in voor."

„Nou, ik heb nog niet alles gezien," zei Paula. „Misschien heeft Alan iemand wat opnames van zichzelf laten maken. Maar daar gaat het niet om."

„Waar gaat het dan wel om?" vroeg Susan.

„Het is iets speciaals van Alan," zei Paula. „Een film over ons. Zijn vrienden."

HOOFDSTUK 10

Aan het eind van de schooldag liep Paula naar haar kluisje en pakte de spullen die ze voor haar huiswerk nodig had. Daarna ging ze door naar het videolokaal.

Het was er deze keer druk. Er waren zeker tien leerlingen in het lokaal. Ze liepen heen en weer tussen monitoren en recorders, en riepen termen naar elkaar waar Paula niets van begreep, pleegden druk overleg en schreeuwden door elkaar heen.

Jenny stond er tussenin, maar het lawaai leek haar niet te deren. Ze keek alsof ze ervan genoot. Robert was er ook, maar hij had een gekwelde blik op zijn gezicht. Hij hield niet van chaos.

„Hoi," zei Paula tegen Jenny, nadat ze zich een weg gebaand had door de drukke groep. „Dit is zeker niet het meest geschikte moment om iets te doen, hè?"

„Straks wordt het rustiger," wist Jenny. „Dat denk ik tenminste. Laten we een kwartiertje wachten."

Paula vond een lege stoel en zette die tegen een muur, zodat ze niet in de weg zat. Robert verdween, nog steeds met dezelfde gekwelde blik. Op hetzelfde moment schoot Paula iets te binnen. Ze was nog niet eens begonnen met leren voor het geschiedenisproefwerk. Ze pakte de aantekeningen uit haar rugzak en keek ze door.

Een paar minuten later stond ze op en liep naar Jenny. „Luister eens," zei ze. „Ik denk dat ik maar beter kan gaan."

„Waarom? Over een minuut of tien is de helft weg,"

zei Jenny, terwijl ze wat getallen in een schrift noteerde.

„Ik heb net alle aantekeningen voor mijn geschiedenisproefwerk van morgen nagekeken," legde Paula uit. „Maar als ik niet gauw begin, wordt het een ramp. En ik heb nog stapels ander huiswerk."

„Goed dan. O, weet je wat?" zei Jenny. „Geef mij de band maar. Ik moet toch een kopie maken en dat kan ik nu wel even doen. Of in ieder geval voor ik wegga. Dat bespaart ons tijd."

„Oké." Paula gaf haar de band en nam afscheid. Jenny zat alweer over haar werk gebogen en maakte een vaag handgebaar.

De sneeuw, ongewoon voor november, was in regen overgegaan. Vanaf haar plaats in de bus kon Paula op straat kijken. Ze zag hoe de half ontdooide sneeuw achter de enorme banden opspatte toen de bus optrok bij de bushalte tegenover de school. Paula had de bus genomen omdat ze geen zin had om in haar eentje door het donker naar huis te lopen. De bus stopte een paar straten bij haar huis vandaan.

Wat kon er nou mis gaan bij een wandeling van een paar minuten? Misschien veel, maar waarschijnlijk niets. Vooral niet als je oplette, hield Paula zichzelf voor.

Ze leunde achterover en bleef naar buiten kijken. Ze zag Susan op de hoek in gesprek met Dave Travis, niet met Bob. Bob zat op judo. Misschien was hij daar nu.

De bus stopte om reizigers in en uit te laten stappen.

Een auto zoefde voorbij en Paula draaide verbaasd haar hoofd om. De bestuurder leek op Richard, maar de auto was voorbij voor ze het wist. Het was hem vast ook niet.

Paula keek weer voor zich. Ze dacht aan Richard. Wanneer zou hij haar weer mee uit vragen?

Hij had gezegd dat hij het van plan was, maar hij had het nog niet gedaan. Ze waren zaterdag uit geweest en het was nu pas dinsdag. Paula zuchtte. Ze moest het gewoon afwachten. Maar daar had ze eigenlijk geen zin in. Waarom zou ze zelf eigenlijk geen afspraak maken?

De bus stopte weer en Paula moest eruit. Ze had zich voorgenomen om niet te gaan rennen. In plaats daarvan liep ze rustig en vastberaden door, en keek maar twee keer achterom.

Toen ze de huisdeur opende, glipte de kat naar buiten, zoals gewoonlijk.

Ze liep regelrecht naar de kamer en luisterde het antwoordapparaat af. Er was een boodschap van haar moeder. Geen andere telefoontjes.

Terwijl Paula door het huis slenterde om zich ervan te overtuigen dat alle deuren op slot zaten en er niets veranderd was, voelde ze zich niet meer zo bang.

Alles leek... normaal.

Er waren griezelige dingen gebeurd, maar misschien was het nu voorbij. Ze had in de pauze die onzin over Alans geest zitten vertellen, maar wie weet? Misschien had het haar ècht dwars gezeten en had daardoor alles anders en vreemd geleken.

Paula kon Alan niet vergeten. En ze wilde dat ook

niet. Maar ze kon wel een manier proberen te vinden om over zijn dood heen te komen, en dat was bijvoorbeeld Richard bellen en zelf een afspraak met hem maken. Waarom niet? Hij kon hoogstens nee zeggen. Maar ze verwachtte niet dat hij dat zou doen.

Er stonden drie Blacks in het telefoonboek. Bij de tweede poging had Paula de goeie te pakken. Nou ja, ze kreeg Richard niet aan de lijn. Wel zijn broer.

„Hij is niet thuis," zei een jongensstem, toen ze naar Richard vroeg. „Met wie spreek ik?"

Hij klonk behoorlijk achterdochtig, vond Paula. „Eh... met Paula Martins," antwoordde ze vlug.

„Ja, en?"

„Nou," zei ze, „wil je hem zeggen dat ik gebeld heb?"

„Oké."

„Zeg, misschien kan..." Paula wilde vragen of Richard terug kon bellen, maar zijn broer had al neergelegd. Hoe heette die knul ook weer? Frank. Hij klonk niet erg toeschietelijk.

Omdat Paula er niet op vertrouwde dat Frank de boodschap door zou geven, belde ze een half uur later nog eens. Deze keer werd er niet opgenomen. Ze belde Jenny. Ook daar werd niet opgenomen. Haar vriendin was waarschijnlijk nog op school.

Oké, nu geen uitvluchten meer. Tijd voor de studie.

Paula werkte de hele avond hard. Maar elke keer als de telefoon rinkelde, tilde ze haar hoofd op en wachtte, in de hoop dat haar moeder zou roepen dat het voor haar was. In de hoop dat het Richard was.

Maar Richard belde niet.

Paula was ervan overtuigd dat het de schuld van zijn broer was.

Het had de hele nacht geregend, maar 's morgens brak de zon door. Voor Paula's gevoel was dat voor het eerst sinds weken. Ze besloot dat het een goed voorteken was. Vanaf nu zou ze niet meer denken aan achtervolgers en maniakken. Het verhaal van Susan over die aktrice probeerde ze te vergeten. Dat had niets met haar te maken.

De dingen die haar overkomen waren, de telefoontjes, de voetstappen in de tuin en de inbraak in haar kluisje, waren echt gebeurd. Paula was ervan overtuigd dat ze zich dat niet verbeeld had. Maar ze stonden los van elkaar. Paula was zelf de enige die al die dingen met elkaar in verband had gebracht. Nu werd het tijd ze afzonderlijk te bekijken.

Jenny zou blij zijn als ze het hoorde, dacht Paula, terwijl ze naar de ingang van de school liep. Jenny had haar de hele tijd al duidelijk proberen te maken dat ze zich niet door haar fantasie moest laten meeslepen.

Tot Paula's grote teleurstelling was haar vriendin op school nergens te bekennen. Richard wel. Hij liep vlak voor haar in de gang.

Toen Paula zich realiseerde dat hij het was, haastte ze zich naar hem toe en tikte hem op de schouder. „Ik heb een klacht," zei ze.

Bij het horen van haar stem, draaide Richard zich

snel om. Er verscheen een verraste blik in zijn ogen.

„Hoi," lachte Paula. „Ik ben het."

Heel even dacht ze dat hij boos keek, maar die blik was zo snel verdwenen, dat ze besloot dat het verbeelding was geweest. Waarom zou Richard trouwens boos zijn op haar?

„Ik neem aan dat je mijn boodschap niet gekregen hebt," ging ze verder, terwijl ze samen doorliepen.

„Boodschap?" herhaalde Richard. „Heb je gebeld of zo?"

Paula knikte. „Gisteravond... nee, middag, om precies te zijn."

„Ik moest werken," vertelde Richard. „Het was mijn dag eigenlijk niet, maar er was iemand ziek, dus vroegen ze of ik kon invallen."

„Nou, hoe dan ook, ik heb een boodschap aan je broer doorgegeven."

Richard keek met een ruk op. „Aan Frank?"

„Ja, natuurlijk. Ik bedoel, ik had een jongen aan de lijn en hij zei niet dat ik verkeerd verbonden was." Paula lachte. „Je hebt toch nog een broer?"

Richard knikte, maar hij lachte niet met haar mee. „Waarom belde je?" vroeg hij.

Paula aarzelde. Omdat zij goedgehumeurd was, hoefde dat niet te betekenen dat anderen dat ook waren. En Richard was kennelijk niet in een goede stemming. Misschien moest ze haar vraag even uitstellen.

Terwijl ze aarzelde, ging de bel. Paula vatte het als een hint op.

„Het heeft geen vreselijke haast," zei ze, terwijl ze

zich omdraaide om naar haar lokaal te gaan. „Ik zie je straks wel in de lunchpauze, oké?"

Maar in de pauze had Paula iets anders aan haar hoofd. Iets wat veel belangrijker was dan Richard mee uit vragen.

Aanvankelijk gaf Paula Richard de schuld van het feit dat haar goede bui halverwege de ochtend was verdwenen. Was ze vol goede moed naar school gekomen om een afspraak met hem maken en nu was er geen land met hem te bezeilen!

Paula was vreselijk teleurgesteld.

Meestal zag ze Jenny tijdens de kleine pauze wel ergens in de gang, maar vandaag was haar vriendin in geen velden of wegen te bekennen. Dat was ook al niet goed voor Paula's humeur.

Paula had haar vriendin zo veel te vertellen. Ze had de maniak uit haar geest verbannen en besloten niet op Richards uitnodiging te wachten, maar zelf het initiatief te nemen. Maar nu had Richard weer zo raar gereageerd.

En tot overmaat van ramp was de geschiedenisrepetitie ook nog veel moeilijker dan ze gedacht had.

Terwijl de ochtend langzaam voorbij ging, nam een ander gevoel bezit van Paula. Het was een gevoel dat ze niet goed thuis kon brengen.

Het was net als met het weer. Op een morgen word je wakker en je realiseert je dat er iets veranderd is. Je ligt in je bed te luisteren. Elk geluid klinkt gedempt. En dan weet je opeens: het heeft gesneeuwd.

Of de manier waarop de lucht soms verandert. Als alles rustig wordt en de vogels zwijgen terwijl de zon nog schijnt, voel je dat er onweer op komst is.

Dat was het, besefte Paula opeens. Een soort stilte voor de storm.

Niemand anders scheen er last van te hebben. Susan keek net zo sjagrijnig als anders, Robert liep fluitend naar de volgende les, Bob slenterde in zijn eentje rond en keek een beetje triest. Maar niemand leek hetzelfde gevoel te hebben als Paula.

Het onrustige gevoel werd steeds sterker. Paula probeerde het van zich af te zetten, maar dat lukte niet. Ze hield zichzelf voor dat het verbeelding was, maar eigenlijk wist ze wel beter. Er was iets op komst. Er hing iets onheilspellends in de lucht.

De bui barstte aan het begin van de lunchpauze los. Paula was bij haar kluisje geweest en liep naar de kantine toen ze iemand iets over Jenny hoorde zeggen.

Natuurlijk zaten er nog meer Jenny's op school, maar Paula wist zeker dat het over haar vriendin ging. Ze bleef staan.

Vera en Diana, kennissen van Robert, stonden bij het fonteintje. Ze leken verbijsterd en geschokt.

Paula kwam dichterbij.

„Jenny had ook niet alleen in het donker naar huis moeten lopen," hoorde ze Vera zeggen. „Ze zeggen wel dat je in Bridgetown 's avonds veilig rond kunt lopen, maar daar kun je nooit op vertrouwen."

Diana knikte instemmend. „Wanneer hoorde je het?" vroeg ze ademloos.

„Een paar minuten geleden," vertelde Vera. „Ik was op de administratie toen haar moeder belde. Iedereen schrok zich te pletter. Het was afgrijselijk."

Jenny's naam was niet meer gevallen, maar Paula wilde zekerheid. „Neem me niet kwalijk," zei ze. „Over wie hebben jullie het?"

De twee meisjes draaiden hun hoofd om en zagen Paula. Ze wisselden een snelle blik.

Paula voelde het onweer naderen.

„Ik hoorde een van jullie Jenny zeggen," ging ze met de moed der wanhoop verder. „Jullie hebben het toch niet over Jenny Berger?"

Diana keek naar Vera, in de hoop dat die het woord zou voeren.

Vera haalde diep adem.

„Je bedoelde dus wel Jenny Berger," fluisterde Paula. Het was geen vraag. De bui hing nu recht boven haar.

De meisjes knikten. Hun hoofden gingen gelijktijdig op en neer.

„O Paula," barstte Vera los, „ik vind het zo erg. Jenny is toch je beste vriendin?"

HOOFDSTUK 11

Paula verstijfde. Ze wilde vragen stellen, maar haar mond was opeens kurkdroog en er kwam geen geluid over haar lippen. De gezichten van Vera en Diana werden wazig.

Half versuft probeerde ze na te denken. 'Jenny is je beste vriendin,' had Vera gezegd. Jenny *is*. Dat was belangrijk.

„Ze is niet dood," mompelde Paula.

Vera's mond klapte dicht en ging weer open. „Nee, ze is niet dood!" bracht ze met moeite uit. „Dat zei ik toch niet? Maar ze is wel gewond. Wat ik hoorde..."

Ze begon een ingewikkelde uitleg, maar Paula luisterde niet meer. Ze wilde niet luisteren naar Vera, die het ook alleen maar van horen zeggen had.

Ze draaide zich om en rende door de gangen naar de administratie. Ze hoopte dat ze daar niet tegen haar zouden zeggen dat ze naar haar klas moest gaan en rustig blijven. De schoolleiding had daar soms een handje van. Geheimzinnig doen en dingen verzwijgen. Alsof de leerlingen emotionele zwakkelingen waren, die flauwvielen bij slecht nieuws.

Mevrouw Gold was aan het werk.

Paula had gehoopt dat Susan er ook was. Die zou haar vragen wel beantwoord hebben. Mevrouw Gold streek door haar haren en legde zenuwachtig wat papieren recht op haar buro.

„Je hoeft je geen zorgen te maken," ratelde ze tegen Paula. „Jenny ligt in het ziekenhuis, maar alles komt goed." Ze keek op de klok. „Vooruit, ga maar lekker eten voordat de lunchpauze voorbij is."

„Maar ik wil weten wat er gebeurd is!" riep Paula uit. „Jenny is mijn beste vriendin. Wat is er aan de hand?"

Mevrouw Gold keek naar Paula en haar blik verzachtte. „Luister, ik ken de details ook niet. Ik weet nauwelijks wat er gebeurd is. Als ik het wist, zou ik het je vertellen."

Paula zuchtte en wist een flauw glimlachje tevoorschijn te toveren. „Dat weet ik wel. In ieder geval bedankt."

Ze verliet het kantoor en begon richting kantine te lopen. Halverwege bleef ze staan en draaide zich om. Ze rende naar haar kluisje, pakte haar jack en verliet de school via de achteruitgang.

Ze besloot de lunch over te slaan. Eten kon wachten. En de lessen ook.

'Het' ziekenhuis. Er waren twee ziekenhuizen in Bridgetown.

Paula was al overgestoken om een bus te pakken, toen ze zich opeens realiseerde dat ze niet wist naar welk ziekenhuis ze moest. En ze wilde geen tijd verspillen door eerst naar het verkeerde te gaan.

Ze kon teruggaan en het bij de administratie vragen, maar nu ze eenmaal buiten stond, wilde ze niet meer naar binnen gaan. Was ze nu maar op de fiets.

De bus kwam al aanrijden. Paula nam vlug een beslissing. Ze zou naar huis gaan en de ziekenhuizen bellen. Als ze wist in welk ziekenhuis Jenny lag, kon ze alsnog besluiten wat ze zou doen.

Het was doodstil in huis toen Paula binnenkwam. Een paar dagen geleden had ze nog alle deuren gecontroleerd, in kasten gekeken en geluisterd of er een boodschap op het antwoordapparaat stond als ze thuis kwam, maar vandaag niet. Paula schopte haar schoenen uit en rende naar de telefoon. Haar gedachten waren bij haar vriendin.

Terwijl ze het telefoonboek zocht, vroeg ze zich af wat er gebeurd kon zijn. Vera had het over alleen naar huis lopen gehad en dat het 's avonds niet veilig was. Was Jenny aangereden door een auto? Beroofd onder bedreiging met een mes? Gebeurden zulke dingen echt in Bridgetown? Waarom had ze Vera niet uit laten praten? Misschien wist die wel meer dan mevrouw Gold wilde loslaten.

Eindelijk vond ze het telefoonboek. Het lag boven op de verwarming. Paula legde het boek op tafel en zocht de nummers van de twee ziekenhuizen op. Mickey slenterde naar binnen. Hij knipperde slaperig met zijn ogen en sprong op tafel.

Jenny lag in het Stadshospitaal, kamer 454. Paula vroeg of ze met haar vriendin kon worden doorverbonden, maar de receptioniste antwoordde dat dat op het moment helaas onmogelijk was, ze moest later nog maar eens bellen.

De kat lag opgerold op het opengeslagen telefoonboek. Paula beet nadenkend op een nagel. Het was toch een goed teken dat ze op een ander moment misschien wel doorverbonden kon worden? Dat zouden ze vast niet zeggen als Jenny's toestand slecht was. Paula pakte de hoorn van het toestel en belde naar Jenny's huis. Er werd niet opgenomen. Ze hadden geen antwoordapparaat, zodat ze geen boodschap achter kon laten.

Teleurgesteld probeerde ze tot een besluit te komen. Ze kon hier blijven en het ziekenhuis straks nog eens bellen. Of ze kon in de bus stappen en erheen gaan.

Thuis zitten wachten zou erger zijn. Paula liet Mickey opgerold op het telefoonboek achter en ging op weg naar het ziekenhuis.

Terwijl Paula naar de bushalte liep, waren haar gedachten bij Jenny, niet bij griezelige telefoontjes of voetstappen in de tuin. Als ze daaraan gedacht had, zou ze misschien achterom gekeken hebben.

Had ze achterom gekeken, dan zou ze misschien de auto opgemerkt hebben, die langzaam door de straat reed en bij Alans huis stilhield. En dan had ze die auto misschien ook herkend.

Maar Paula's gedachten waren bij Jenny en ze keek niet achterom.

Toen Paula in het ziekenhuis bij kamer 454 arriveerde, kwam mevrouw Berger juist naar buiten. Ze zag er vermoeid uit en misschien wat bezorgd, maar dat was alles. Geen tranen. Er was Paula al verteld dat Jenny niet in levensgevaar verkeerde, maar ze geloofde het pas toen ze het gezicht van mevrouw Berger zag.

„Paula, wat doe jij hier?" Jenny's moeder zweeg en schudde haar hoofd. „Ach, ik begrijp het ook wel.

Als jij hier had gelegen, had Jenny ook gespijbeld om je op te zoeken. Het spijt me, maar ze slaapt nu."

Mevrouw Berger duwde de deur open en Paula keek om een hoekje. Daar lag Jenny, een verband om haar hoofd en haar linkerarm in het gips. Haar gezicht was bleek.

Paula kneep haar ogen samen. Tot haar grote opluchting zag ze dat Jenny ademhaalde. Ze trok haar hoofd weer terug.

„Wat is er gebeurd?" vroeg ze.

Jenny's moeder zuchtte. „Kom, ga mee naar de koffieshop," zei ze. „Als ik niet gauw koffie krijg, val ik vast om."

Toen ze samen aan een tafeltje zaten, vertelde mevrouw Berger wat er gebeurd was. Jenny was na school in het videolokaal gebleven om muziek bij een band te zetten voor een projekt dat over een paar dagen klaar moest zijn.

„Ze belde om zes uur naar huis en zei dat ze minstens nog een uur werk had. Ik zei dat ik haar wel op kwam halen, maar dat hoefde niet. Er was altijd wel iemand op school met wie ze mee kon rijden. En als dat niet kon, zou ze wel weer bellen."

Paula nam een slok van haar chocolademelk en warmde haar handen aan de beker. „Maar ze belde niet?"

„O jawel," knikte mevrouw Berger. „Maar volgens haar werd er niet opgenomen. Ik denk dat ik in de schuur was en de telefoon niet gehoord heb." Ze dacht even na. „Of misschien heeft ze gebeld toen ik de krant uit de brievenbus haalde." Ze zuchtte weer.

„Maar Jenny stond klaar om te vertrekken en ze werd ongeduldig. En het is natuurlijk niet zo heel ver lopen."

Paula wachtte op het belangrijkste deel van het verhaal.

„Ze ging alleen weg. Ik denk dat alle anderen al vertrokken waren. Ongeveer twee straten van de school vandaan hoorde ze iemand achter zich lopen."

Dus Jenny werd ook al achtervolgd, dacht Paula met een huivering.

„Jenny keek niet achterom. Niet dat het iets geholpen zou hebben," voegde mevrouw Berger eraan toe. „Voor ze wist wat er gebeurde, werd ze van achteren vastgepakt. Vanaf dit punt wordt het verhaal vaag," ging ze verder. „Jenny probeerde zich los te rukken."

Paula glimlachte bijna. Echt iets voor Jenny om van zich af te bijten.

„Er ontstond een worsteling. Op de een of andere manier heeft Jenny daarbij haar pols gebroken en een verwonding opgelopen aan haar hoofd," zei mevrouw Berger. „Gelukkig rende de aanvaller toen weg. Nadat hij haar tas met al haar geld erin had meegepikt, natuurlijk."

„Heeft Jenny hem gezien?" vroeg Paula.

Mevrouw Berger schudde haar hoofd. „Het was al te donker en op de een of andere manier wist hij de hele tijd achter haar te blijven. Er kwamen ook geen auto's voorbij... Zo gaat het toch altijd?" Ze nam een slok koffie. „Ach, wat zeur ik nou? Ik ben dolblij dat het nog zo goed is afgelopen."

Paula knikte. „Wat gebeurde er toen?"

„Jenny vertelde dat ze in eerste instantie zo overrompeld was, dat ze niet eens kon schreeuwen. Daarna was ze waarschijnlijk even buiten bewustzijn. Toen ze weer bijkwam, gilde ze moord en brand!" Mevrouw Berger glimlachte flauwtjes. „In een van de huizen hoorde iemand haar en die heeft de politie gebeld."

Paula's chocolademelk was koud geworden, maar ze dronk haar kop toch leeg. „Gelukkig is ze niet zwaar gewond."

„Precies." Jenny's moeder keek op de klok. „Ik ga weer terug," zei ze. „Ik denk dat Jenny morgen wel weer naar huis mag. Ze willen haar alleen nog een nachtje houden ter observatie, voor het geval ze een hersenschudding heeft. Maar de rest van de week blijft ze in ieder geval thuis."

„Wilt u haar zeggen dat ik geweest ben?" vroeg Paula. „En zeg maar dat ik haar morgen op kom zoeken."

„Na schooltijd," zei mevrouw Berger streng. „Niet meer spijbelen, Paula."

Paula knikte. „Ik durf te wedden dat Jenny gaat proberen er een film van te maken," grinnikte ze. „Dan zal ze niet vertellen hoe bang ze was, maar ze zal laten zien hoe dramatisch het was. Echt iets voor haar om het na te spelen en op te nemen."

Jenny's moeder lachte ook. Opeens schoot haar iets te binnen „O, dat zou ik bijna vergeten. Jenny heeft vannacht een tijdlang wartaal uitgeslagen, maar over één ding was ze heel duidelijk. Ze zei: 'Vertel Paula dat met haar band alles in orde is.' "

Even begreep Paula er niets van. Maar plotseling wist ze het weer. Jenny zou voor haar een kopie maken van Alans videoband.

„Er zat een videoband in haar tas," ging mevrouw Berger verder. „Maar niet die van jou. Het was haar eigen band. Ze bleef herhalen dat met jouw band alles in orde is. Hij ligt in het videolokaal, samen met de kopie." Ze zuchtte. „Maar je regenjack is niet meer te repareren, ben ik bang."

„Wat? O," zei Paula toen ze zich herinnerde dat Jenny haar regenjack had geleend. „Dat geeft niet. Als ze wakker wordt, moet u haar maar zeggen dat ik hem toch niet mooi vond."

Nu Paula zeker wist dat alles in orde zou komen met Jenny, voelde ze zich ineens uitgeput. Toen ze uit de bus was gestapt, leek het korte stukje naar huis wel een kilometer. Maar met Jenny was tenminste alles in orde, dacht ze, terwijl ze het tuinpad op slenterde. Ze was niet zwaar gewond. De aanvaller was alleen op haar geld uit geweest.

Paula zocht in haar rugzak naar haar sleutel. Toen ze die had gevonden, stak ze hem in het slot.

De deur ging gemakkelijk open. Anders. Alsof er geen sleutel nodig was. Was ze zo snel vertrokken dat ze de deur niet op slot gedaan had?

Paula was moe, maar ze stond nu wel weer op scherp. Was het verbeelding of had de deur echt niet op slot gezeten?

Een beetje angstig liep ze door de gang en wierp een blik in de huiskamer. Er leek niets veranderd, behalve dat de kat niet meer op het telefoonboek lag. In de keuken was ook niets gebeurd.

Ze rende de trap op, naar de slaapkamers. Alles zag er gewoon uit. Er zat een holte in haar kussen waar Mickey had gelegen en dat was ook normaal. Het was een van zijn lievelingsplekjes.

Boven aan de trap bleef Paula staan luisteren. Ze hoorde de koelkast, de verwarmingsketel en het tikken van de klok in de kamer. Normale geluiden.

De vermoeidheid sloeg weer toe en Paula gaapte zo, dat de tranen in haar ogen sprongen. Het was pas half vier, maar ze had het gevoel of ze twee nachten niet geslapen had.

Ze liep terug naar haar slaapkamer, trok haar schoenen uit en ging languit op bed liggen. Ze zou even een uurtje gaan slapen en daarna Jenny in het ziekenhuis bellen.

Net toen ze wegdoezelde, hoorde ze het geluid.

Paula rolde op haar zij en probeerde het te negeren. Het was Mickey maar, die naar binnen wilde. Hij zou het zo wel opgeven.

Maar de kat gaf niet op. Als Paula hem niet binnenliet, zou hij aan de deur blijven krabbelen en zou ze nooit kunnen slapen.

Gapend stond ze op, liep naar de keuken en opende de achterdeur.

Mickey kwam binnen en wreef tegen haar benen. Smekend keek hij haar aan: tijd voor een hapje.

Paula reikte naar de doos met kattebrokjes. Opeens bleef haar hand in de lucht zweven.

Haar hart begon te bonzen en de haartjes in haar

nek gingen rechtop staan.

Mickey was in de kamer geweest toen ze naar het ziekenhuis ging. Soezend op het telefoonboek, dat opengeslagen op tafel lag.

Hoe was hij dan buiten gekomen?

HOOFDSTUK 12

„Hij is misschien naar buiten geglipt toen je wegging," zei Paula's moeder tijdens het eten. „Je was waarschijnlijk zo met je gedachten bij Jenny dat je het gewoon niet hebt gemerkt."

Paula nam een hap en dacht terug aan het moment dat ze het huis had verlaten. Ze had Mickey slapend op tafel achtergelaten. Tenminste, dat dacht ze. Maar hij was tenslotte een kat en katten konden zich als schaduwen voortbewegen. Het gebeurde dikwijls dat ze pas merkte dat hij uit de ene kamer weg was, als ze hem in een andere kamer tegenkwam.

„Dat zal dan wel," zei ze weifelend. „Maar hoe zat het dan met de deur?"

„Ja, dat weet ik niet, hoor. Misschien had je die niet op slot gedaan," zei mevrouw Martins. Ze stond op en schonk een glas water voor zichzelf in. „Maar dat wil nog niet zeggen dat er iemand binnen is geweest. Er is toch niets overhoop gehaald of meegenomen?"

Paula schudde haar hoofd. „Ik heb overal gekeken, nadat ik Mickey binnen heb gelaten. Als er iets weg is, zou ik niet weten wat."

Haar moeder lachte. „Nou, als er iemand binnen is geweest en iets heeft meegenomen dat we nu niet missen, zullen we het wel nooit missen." Ze was weer gaan zitten. „Ik denk dat je fantasie een beetje op hol is geslagen. Je bent natuurlijk van slag door wat er met Jenny gebeurd is," merkte ze op.

„Je hebt gelijk wat Jenny betreft. Ik was hartstikke

bang," knikte Paula, terwijl ze rijst op haar bord schepte. „Ik kan nog steeds niet geloven dat het zo goed is afgelopen."

Paula had het ziekenhuis weer opgebeld en eindelijk met haar vriendin gesproken. Jenny was moe en ze had pijn, maar ze klaagde tenminste al over het eten.

„Het is nog erger dan in de ergste snackbar," had ze gemopperd. „Mijn moeder is al een broodje voor me aan het halen."

Paula was in de lach geschoten. „En nu ga je me zeker alle bloederige details geven?" had ze plagend gevraagd.

„Ja, natuurlijk. Luister en huiver!"

Jenny had niet veel meer verteld dan haar moeder al had gedaan, maar ze had alles veel dramatischer beschreven.

„Denk je eens in," was ze geheimzinnig begonnen. „Je loopt door een donkere straat. In je eentje. Plotseling hoor je voetstappen achter je. Eerst langzaam, maar dan steeds sneller."

Paula had gehuiverd. Ze kon het zich heel goed indenken. „Het is maar goed dat je er grapjes over kunt maken," had ze gezegd. „Die vent had je wel kunnen vermoorden."

„Nou ja..." Jenny had even gezwegen. Opeens had ze uitgeroepen: „Hé trouwens, weet je dat ik hem verwond heb?"

„Echt? Hoe dan?"

„Met mijn nagels," had Jenny uitgelegd. „Eerst probeerde ik me steeds om te draaien, zodat ik hem beter weg kon duwen. Maar hij had van achteren één arm om me heen geslagen en met zijn andere hand trok hij mijn capuchon over mijn gezicht. *Jouw* capuchon zou ik eigenlijk moeten zeggen."

„Wat? O ja, je had mijn regenjack aan," had Paula zich herinnerd.

„Juist. Dus toen probeerde ik in zijn gezicht te krabben, maar ik moest genoegen nemen met zijn arm. Zijn mouw ging een stukje omhoog en ik kon mijn nagels er goed in zetten."

Paula had weer gehuiverd. Wat jammer dat het zijn gezicht niet was, had ze meteen gedacht. Dat kon hij niet verbergen. Maar zijn arm? Het was lange mouwen-weer. Jenny's aanvaller had dus niets te vrezen.

„Heeft hij veel geld gepikt?" had ze gevraagd.

„Heb ik ooit veel geld gehad?" had Jenny lachend geantwoord. „Ik heb er het meest de pest over in dat mijn videoband weg is. Gelukkig heb ik nog een kopie, maar ik moet er wel weer muziek onder zetten."

Ze hadden nog een minuut of vijf door gekletst. Toen was Jenny slaperig geworden en hadden ze neergelegd.

Terwijl ze de tafel afruimde, dacht Paula na over het gesprek met haar vriendin. In haar achterhoofd was iets blijven hangen. Was het iets wat Jenny verteld had? Of niet verteld had? Misschien had het niets te maken met hun gesprek. Misschien was het iets anders.

Paula huiverde. Ze kon het onheilspellende gevoel niet van zich afzetten.

Toen Paula de volgende ochtend bij haar kluisje stond, werd er opeens op het deurtje geroffeld. Nog een beetje schrikachtig door wat er de vorige dag gebeurd was, sprong ze opzij en stootte haar elleboog hard tegen de metalen rand van de deur.

„Sorry," zei Richard. Een lachende Richard deze keer. „Het was niet mijn bedoeling je aan het schrikken te maken."

„Ja, oké." Paula wreef over haar elleboog. „Ik ben wat van slag, zou mijn moeder zeggen." Ze deed haar kluisje dicht. „Je weet het zeker al van Jenny?"

Richard knikte en de lach verdween van zijn gezicht. „Iedereen had het er gisteren over. Ik dacht dat ik je in de pauze zou zien, maar toen ik hoorde wat er gebeurd was, nam ik aan dat je naar het ziekenhuis was gegaan. Heb je haar gezien?"

„Ze sliep," vertelde Paula. „Maar ik heb haar later gesproken. Het gaat goed met haar. Ze mag vandaag naar huis."

„Heeft Jenny verteld wat er is gebeurd?" vroeg Richard nieuwsgierig, toen ze door de gang liepen. „Heeft ze die vent nog gezien?"

Paula schudde haar hoofd. „Maar ze zei dat ze hem gekrabd heeft. Jammer genoeg kreeg ze alleen zijn arm te pakken en niet zijn ogen." Ze keek naar Richard. „Toen jullie hier kwamen wonen, dacht je zeker dat dit een leuk, rustig stadje is?"

„Dat klopt," antwoordde Richard grijnzend. „Maar zulke dingen gebeuren overal, denk ik."

„Het was Jenny's aanvaller vast om geld te doen," merkte Paula op. „Gelukkig had ze niet veel geld bij zich, dus zal de dader wel teleurgesteld geweest zijn. Het enige dat hij heeft meegenomen, is haar videoband en daar kan hij niet veel mee."

„Hé, luister eens, Paula," onderbrak Richard haar. „Wil je nog eens met me uit? Zaterdag misschien?"

Paula knipperde met haar ogen, een beetje overvallen door die onverwachte onderbreking. Tot haar grote verbazing zag ze dat Richard niet erg op zijn gemak leek, heel anders dan de eerste keer toen hij haar mee uit vroeg.

Joh, wat doet het ertoe, hield ze zichzelf voor. Dit is precies wat jij hem gisteren wilde vragen, dus wees blij en zeg gewoon ja.

„Oké," knikte ze.

Dankzij de afspraak met Richard verbeterde Paula's stemming, maar ze kon nog steeds dat onbehaaglijke gevoel niet van zich afschudden. Net of ze iets vergeten was, iets over het hoofd had gezien. Maar ze wist niet wat ze moest zoeken of waar. Ze kon er maar niet achter komen.

Omdat Jenny haar beste vriendin was en Paula meer wist dan de anderen, zat ze in de lunchpauze aan een stampvolle tafel en deed ze het verhaal van Jenny's avontuur.

Robert was er, en Susan en Bob. Dave Travis zat naast Richard. Vera en Diana zaten op het puntje van hun stoel om geen woord van Paula's verhaal te hoeven missen.

Paula had de hele morgen al aan allerlei mensen over Jenny's ongeluk verteld en misschien kwam het daardoor dat haar gedachten afdwaalden, terwijl ze aan het vertellen was.

Opeens had ze het gevoel dat ze bíjna de vinger kon leggen op wat haar dwars gezeten had.

Ze was midden in het verhaal op het moment dat Jenny met haar aanvaller worstelde.

„Ze wilde zich omdraaien, zodat ze hem weg kon duwen," vertelde Paula. „Maar ze..."

„Ze hoefde alleen maar keihard op zijn voet te stampen," onderbrak Vera haar. „Dat heb ik ergens gelezen. Als je op de juiste manier op iemands voet stampt, verbrijzel je allerlei botjes. Of zoiets."

„Nee, wat ze moest doen, was hem trappen... je weet wel waar," merkte Diana op.

„Volgens Paula kreeg Jenny die kans niet," protesteerde Susan. „Nee toch, Paula? Jenny kon zich niet omdraaien om hem te bekijken. Of hem te trappen," voegde ze eraan toe.

Paula luisterde nauwelijks. Wat ze vergeten was of over het hoofd had gezien, lag bijna voor het grijpen. Wat was het toch?

„Sorry," zei Vera. „Vertel verder, Paula."

Paula pakte met moeite de draad van het gesprek weer op. „Nou, Jenny kon zich niet omdraaien," begon ze langzaam. „Hij hield haar te stevig vast en hij trok de capuchon over haar gezicht."

Ze zweeg. Het was nu dichterbij. Wat was het?

Verward schudde ze haar hoofd. „Waar was ik gebleven?" mompelde ze.

„De capuchon," antwoordde Vera. „Hij trok de capuchon over haar gezicht." Ze keerde zich naar de anderen. „Dat deed hij natuurlijk zodat Jenny niet kon zien wie hij was,” legde ze uit. „Zodat ze hem later niet kan identificeren.”

Paula staarde haar aan. „Wat zei je?”

Vera bloosde licht en schoof heen en weer op haar stoel. „Oké, ik kijk te veel tv,” gaf ze toe. „Maar zo gaat het altijd. De aanvaller probeert er zeker van te zijn dat het slachtoffer hem niet kan identificeren. Daarom trok die engerd de capuchon over Jenny's gezicht.”

Paula staarde voor zich uit. Vera's gezicht verdween. In plaats daarvan zag ze Jenny in haar eentje door de donkere straat lopen. Haar rugzak, een zwarte, net als die van Paula, hing over haar schouder. Haar haren, bijna dezelfde kleur als die van Paula, waaiden onder de capuchon vandaan.

Een blauw regenjack.

Paula's regenjack.

„Nou? Wat gebeurde er verder?” drong Vera aan.

Paula keek op. Vera's gezicht zweefde voor haar ogen. Ze keek haar gretig aan, belust op details. Diana leunde verwachtingsvol naar voren.

De anderen keken haar ook aan. Robert had zijn ogen samengeknepen. Richard keek haar fronsend aan. Susan had een appel in haar hand en zat doodstil te wachten tot Paula het verhaal af zou maken.

Paula slikte. „Dus krabde ze zijn arm open,” zei ze haastig. „En hij duwde haar zodat ze viel, waarbij ze haar hoofd bezeerde. De rest weten jullie.” Ze slikte weer, duwde haar stoel achteruit en stond vlug op. Ze moest hier weg, zodat ze kon nadenken. „Luister, ik herinner me opeens dat ik nog wat moet doen," zei ze tegen de groep. „Ik zie jullie straks nog wel en dan..."

Ze liet de zin onafgemaakt, draaide zich om en haastte zich de kantine uit.

Ze dook de eerste de beste toiletruimte in waar ze voorbij kwam, sloot zichzelf op in een wc en wachtte. Ze hoorde de bel gaan en dreunende voetstappen in de gang. De deuren van de andere wc's gingen ettelijke keren open en dicht, terwijl Paula wachtte en naar de meisjes luisterde, die met elkaar kletsten over jongens en leraren, over films en huiswerk.

De tweede bel ging en de toiletruimte stroomde leeg. Even later deed Paula de deur open en kwam naar buiten. Ze liet de koude kraan lopen en maakte haar gezicht nat. Ze droogde haar handen met een papieren handdoek af en keek in de spiegel.

Een beetje bleek, maar dezelfde Paula Martins. Lang bruin haar, bruine ogen, niets opvallends.

En als ze een blauw regenjack aantrok en in het donker in haar eentje de straat opging, zou ze er net zo uitzien als tientallen andere meisjes. Maar zij had dat niet gedaan. Jenny wel. Opeens begreep Paula alles. Degene die Jenny had aangevallen, had de bedoeling gehad *Paula* aan te vallen!

Paula pakte de rand van de wasbak vast en boog zich dichter naar de spiegel. „Hij wilde *jou* te grazen nemen," zei ze hardop, terwijl ze naar haar spiegelbeeld keek.

Ze had zich die maniak uiteindelijk dus toch niet verbeeld. Hij bestond echt! Hij had in haar kluisje en haar rugzak gesnuffeld. Hij had haar thuis opgebeld. Hij was waarschijnlijk gisteren zelfs in huis geweest.

Maar hij wilde haar niet alleen bang maken. Daar had Paula zich in vergist. Hij wilde iets van haar hebben.

En plotseling wist Paula wat het was.

Ze draaide weg van de spiegel en keek naar haar rugzak, die op de grond stond.

Jenny had net zo'n tas als zij. De aanvaller was waarschijnlijk op iets uit geweest wat in die tas zat.

En waar was Jenny zo kwaad over? Dat hij haar videoband had meegenomen!

Maar de dader zat niet achter Jenny's band aan. Hij had gedacht dat hij Paula aanviel. Het was hem dus om Paula's band te doen. De band die ze van Alan had gekregen.

Paula pakte haar rugzak op en hing hem over haar schouder. Geen tijd te verliezen, dacht ze. Ze draaide zich om en ging de toiletruimte uit. De dader wist dat hij de verkeerde had aangevallen. Daarom was hij gisteravond al bij haar thuis geweest. In de haast, door de angst om Jenny, moest Paula vergeten hebben de deur op slot te doen. En de onbekende was zo naar binnen gelopen.

Hij had de band niet gevonden, want die lag niet bij haar thuis en zat ook niet in haar tas. De band lag in het videolokaal en Paula moest hem te pakken zien te krijgen.

Er stond iets belangrijks op die band. En iemand wilde wanhopig dat het geheim zou blijven.

HOOFDSTUK 13

De band lag in het videolokaal, precies zoals Jenny gezegd had. Paula vond hem in de grote kast met de dikke, metalen deur, waar de banden werden bewaard om ze te beschermen tegen brand en water, en wat verder schade toe kon brengen. Er zat geen etiket op, maar Paula herkende hem aan de Z-vormige kras op het doosje.

Er waren een paar jongelui in het lokaal toen Paula binnen kwam, maar geen van hen lette op haar. Met de band veilig in haar rugzak, verliet ze het lokaal en ging naar de volgende les.

Paula had niemand gezien die ze kende.

Wie had het op haar gemunt? Het moest iemand zijn die ze kende.

Susan, Bob, Richard en Robert. Er stonden nog anderen op de band, maar alleen deze vier wisten dat Alans moeder de band aan Paula gegeven had. Alleen deze vier hadden haar horen zeggen dat ze hem in het videolokaal ging bewerken. Dat waren dus de vier verdachten.

Werkten ze samen? Was het een van hen?

Paula was met haar gedachten niet bij de les. In gedachten liet ze de band afspelen.

Jongelui bij het auto wassen. Robert, die het verkeer regelde. Mensen, die op straat liepen. Susan en Bob dansend op Alans feest.

Richard op Roberts feest, kwaad kijkend.

Elke keer als ze zich dat stuk herinnerde, huiverde Paula. Hield ze zichzelf dan voor de gek wat Richard betrof? Ze wist dat hij plotseling kon veranderen. Hij was altijd afstandelijk en koel geweest, tot Paula hem de basketbal had gegeven en over de band gesproken had. Sinds die dag was Richard opeens vriendelijk en deed hij alsof hij in haar geïnteresseerd was. Hij had haar zelfs mee uit gevraagd. Was dat alleen omdat hij de band wilde hebben?

Maar waarom zou Richard die zo graag willen hebben? Er was alleen op te zien dat hij om de een of andere reden kwaad werd op Alan, dat was alles. En voor zoiets zocht je toch niet iemands kluisje na of sloop je stiekem iemands huis binnen?

Maar Paula had natuurlijk niet de hele band gezien. Hun videorecorder was na die scène kapot gegaan. Er kon meer op staan, iets waarvan Richard of een van de anderen niet wilde dat iemand het zag.

Paula besefte dat ze de rest van de band af moest kijken, maar hun videorecorder was nog steeds niet gemaakt.

Na het laatste lesuur belde ze Jenny op. Ze wilde vragen of ze bij haar vriendin de band mocht bekijken.

Jenny was al thuis. Ze vertelde dat ze druk bezig was een weekendtas te pakken.

„Een weekendtas?" vroeg Paula verbaasd. „Waarvoor? Ik dacht dat je het een paar dagen rustig aan zou doen."

„Dat doe ik ook," grinnikte Jenny. „Ik ga een paar dagen uitrusten bij mijn oma. We waren al van plan om er dit weekend heen te gaan voor haar verjaardag. Maar nu ik toch thuis ben, heeft mijn moeder besloten eerder te gaan."

„Hoe is het met je?" vroeg Paula.

„Goed. Ik voel me op het ogenblik prima," antwoordde Jenny opgewekt. „Luister, we vertrekken over ongeveer een kwartier. Leuk dat je belde. Ik zie je maandag weer, oké?"

Paula nam afscheid en legde neer. Ze zuchtte. Ze kon de videorecorder van haar vriendin dus wel vergeten. Maar ze moest de band zien!

Paula had de telefoon bij de gymzaal gebruikt. In de zaal waren ze aan het basketballen. Ze kon het rennen en stuiteren en gillen horen. Het geluid deed haar aan Alan denken. En aan Richard.

Paula hees haar rugzak over haar andere schouder en liep de gang door. Ze sloeg de hoek om en stond vlak bij het videolokaal.

„Dat is het!" zei ze hardop. Er stonden genoeg videorecorders in het lokaal. Ze kon gewoon naar binnen gaan en de band bekijken. Als ze deed of ze er hoorde, zou niemand haar iets vragen.

De enige van de vier die ook weleens in het lokaal was, was Robert. Maar Paula wist toevallig dat de leerlingenraad een vergadering had en natuurlijk zat Robert daarbij.

Paula duwde de deur open en stapte het lokaal binnen.

Er waren drie jongens in het lokaal. Ze keken geen van drieën op.

Met een gezicht of ze hier dagelijks kwam, liep Paula naar een tafel aan de verste kant van het lokaal, waar een recorder met tv stond opgesteld. Om er te komen, moest ze achter een paar hoge, metalen stellingkasten langs, die volgestouwd waren met kabels, lege dozen en apparatuur die kapot was of buiten gebruik. Vanaf deze plaats kon ze de deur naar de gang niet zien. Maar omgekeerd kon iemand die het lokaal binnenkwam, haar ook niet zien.

Paula pakte Alans band uit haar tas, zette de recorder aan en duwde de band in de gleuf.

„Zo zie je niet veel," zei een stem achter haar.

Verschrikt keek Paula om. Het was een van de jongens die aan het werk waren geweest.

„Wat is er?" vroeg hij verbaasd. „Je sprong zowat een meter de lucht in."

„O, eh..." zei Paula. „Er is niks." Ze haalde haar schouders op. „Waarom zal ik zo niet veel zien?"

De jongen grijnsde. „De tv staat niet aan."

Paula keek naar het blanco scherm. „O, juist." Ze zette de monitor aan, trok een stoel bij en ging zitten.

De band had al even gedraaid, dus spoelde Paula hem terug. Net toen ze hem weer wilde starten, zei de jongen nieuwsgierig: „Waar ben je eigenlijk mee bezig?"

Hij deed een stap naar voren en stond nu vlak achter haar stoel.

Paula trok haar hand terug. „Ik ben niet echt aan het werk," zei ze vlug. „Ik bedoel, dat ben ik wel, maar het is niks bijzonders. Een soort familiefilm." Ze kon die knul wel wegkijken!

De jongen deed weer een stap naar voren en leunde tegen de tafel. „Een opdracht?" wilde hij nu weten.

Lachend ging hij verder: „Tja, wat kan het anders zijn? Het moet zeker volgende week af?”

En toen kwam hij los, pratend over zijn eigen opdracht. Paula luisterde met een half oor. Video-fanaten konden uren praten over belichting en speciale effekten en meer van dat soort dingen, wist ze. Jenny had er ook een handje van. Soms was ze zo lang aan het woord, dat Paula's ogen dichtvielen van verveling.

Ze werd een beetje ongeduldig omdat ze Alans film wilde bekijken. De jongen leek er geen erg in te hebben, hij ratelde maar door. Elke keer als hij even zijn mond hield, stak Paula haar hand uit naar de recorder alsof ze wilde starten, maar hij begreep de wenk niet.

Eindelijk was hij dan toch uitgepraat. „Nou, ik ga maar weer eens aan het werk,” zuchtte hij. „Succes met je opdracht.”

„Ja, bedankt.” Paula dacht dat hij bedoelde dat hij in het lokaal weer aan de slag ging, maar in plaats daarvan zette hij het toestel uit, pakte een paar boeken en verliet het lokaal.

Alles was rustig.

Paula stond op en keek om de metalen kasten heen. Het lokaal was nu leeg. Terwijl de jongen had staan praten, waren de beide anderen zeker weg gegaan.

Ze was helemaal in haar eentje. En ze wist niet zeker of ze dat leuk vond.

Maar misschien was het wel beter zo, dacht Paula. Nu kon er tenminste niemand achter haar komen staan om mee te kijken. Over een paar minuten zou ze weten wat er op de band stond.

In het lokaal was het akelig stil.

In de gang ook. Paula hoorde niemand lopen of praten. Ze liep naar de openstaande deur en zocht met haar ogen de gang in beide richtingen af. Leeg, net als de klas.

Niemand wist dat ze hier was. Misschien was dat wel goed. Paula liep weer achter de kasten langs, ging zitten en startte de band.

In eerste instantie wilde ze snel doorspoelen naar het punt, waar de recorder het begeven had. Maar opeens besloot ze weer bij het begin van de band te beginnen. Toen ze hem voor het eerst bekeken had, had ze maar oppervlakkig opgelet. Nu moest ze ieder detail bestuderen. Wie weet zou haar dan iets opvallen. Iets wat niet gezien mocht worden.

Het begon met het auto wassen. Er werd gestoeid met tuinslangen en gegooid met schuim. Robert regelde het verkeer, waarbij hij met zijn armen zwaaide als een politieagent. Nog meer gedol, zodat het water op de lens spatte.

Paula zag er niets ongewoons in.

Op naar de straatbeelden. Paula boog zich voorover en staarde ingespannen naar het scherm. Had ze hier wat gemist? Liep een van de vier ertussen?

Mensen slenterden voorbij en wendden hun ogen af van de camera. Of ze trokken gekke gezichten. Het waren allemaal onbekenden voor Paula.

Ze stopte de band, spoelde hem terug en bekeek de straatbeelden opnieuw. Nu keek ze naar de gebouwen in plaats van naar de gezichten. Ze herkende een pizzeria en een boekhandel.

Maar als er al iets geheimzinnigs was, kon Paula het niet ontdekken.

Door naar Alans feest. Susan en Bob aan het dansen. Het enige nieuwe dat Paula opviel, was een ernstig kijkende Dave Travis. Hij keek veel te serieus voor een feestje. Maar de camera gleed verder en Dave verdween uit beeld.

Weer straatbeelden, de opname van de lucht en de boomtoppen. Roberts feest was het volgende.

Plotseling stopte Paula de band. Ze dacht dat ze iets hoorde.

De recorder zoemde en klikte, en het werd stil.

Paula wachtte en luisterde. Niets.

Ze leunde opzij, bukte zich en probeerde tussen de planken van de kast door te gluren. Vanuit deze positie kon ze de onderkant van de deuropening zien.

Niemand. Maar er kon al iemand binnen gekomen zijn.

Paula richtte zich op, schoof haar stoel achteruit en schraapte haar keel. Er verscheen geen gezicht om het hoekje van de kast om te zien wie er zo'n lawaai maakte.

Er was hier niemand anders. Voor alle zekerheid stond Paula op en liep snel de klas rond. Nog even bij de deur kijken. Niemand.

Ze bewoog de deur heen en weer. Hij piepte een beetje. Ze deed de deur dicht. Als er iemand binnen kwam, zou ze het tenminste horen.

Terug bij de tafel drukte Paula op 'play' en ging

zitten om de rest van de film te bekijken.

Roberts feest. De opname van de foto van Robert naast de auto. Dan verder met de mensen, Jenny, Bob, Susan, Dave. Richard stond er niet op.

Daar had je Richard. Hij stond op met opgeheven hand, draaide zich om en liep weg.

Paula verstrakte. Nu kwam de 'grote' scène. Ze keek met half toegeknepen ogen. Ze wilde Richards boze gezicht niet zien, maar ze wilde ook niets missen.

De scène zag er nog net zo uit als eerst. Richard, die woest keek en angstaanjagend boos reageerde. Het duurde maar even, minder dan een halve minuut.

Paula zuchtte. Ze kon begrijpen dat dit een opname was waarvoor Richard zich schaamde, of waarmee hij in zijn maag zat. Maar was het echt zo belangrijk dat hij daarvoor de band wilde pikken?

Paula schudde haar hoofd. Dat kon haast niet. Er moest nog iets anders op de band staan.

Nu kwam ze bij een nieuw gedeelte, hier had hun videorecorder het begeven.

Het feest was voorbij. Er verscheen een andere omgeving in beeld.

Weer de lucht. Een paar schapewolkjes. Boomtoppen, de blaadjes begonnen al te verkleuren. Niets schokkends.

Opeens gleed de camera met een woeste zwaai langs de geel wordende bladeren naar beneden. Alles vloeide even in elkaar over, maar daarna werd het beeld weer scherp.

Alan was in het park geweest. Paula herkende het

stenen bruggetje in de verte en de fontein. Het beeld werd schokkerig. Alan liep met de camera.

Paula zag spelende kinderen, stoeiende honden, slenterende mensen. Alan oefende het inzoomen. Ze zag veel wazige gezichten of kleurige vlekken, die uiteindelijk truien bleken te zijn.

Eindelijk was haar buurjongen blijven staan. Het beeld zwenkte. Alan had zich omgedraaid. Daarna was hij blijven staan en had hij de camera op één punt gericht.

Paula tuurde naar het tv-scherm. In de verte zag ze een heuveltje met twee gekleurde vlekken erop. Ze wachtte, benieuwd of Alan in ging zoomen.

De camera haalde het beeld dichterbij, eerst te veel. Twee wazige gezichten.

Alan stelde de camera opnieuw in. En Paula zag wat hij die dag in het park had gezien.

Er bevonden zich twee mensen op de heuvel. Ze zaten in het gras met hun armen om elkaar heen geslagen en hun lippen op elkaar gedrukt.

Het stel keek niet op, maar dat hoefde ook niet. Paula herkende hen allebei meteen.

Het was Susan, die daar op een heuvel in het park zat en iemand vol overgave kuste. Maar het was niet Bob, met wie ze al zo lang omging.

Het was Dave Travis, de jongen met wie Paula haar op de hoek bij school had zien praten op de dag dat Jenny aangevallen was.

HOOFDSTUK 14

Paula zette de recorder stop en staarde naar het bevroren beeld op het scherm.

Was dat het antwoord? Susan en Dave? Nu ze die twee op de band gezien had, begreep ze opeens waarom Susan de laatste tijd steeds zo nors keek.

Paula kon haar bijna weer horen zeggen: 'Ik snap niet hoe je het kunt opbrengen ernaar te kijken.' Ze hadden het die keer over Alans band gehad en Susan had beweerd dat ze er zelf niet naar zou kunnen kijken, omdat het haar te veel aan Alan zou doen denken. Ze had net gedaan of Paula harteloos was als ze wel keek.

Had ze werkelijk verwacht dat Paula zou zeggen: 'Ja, je hebt gelijk, ik gooi hem wel weg?'

Opeens herinnerde Paula zich haar eerste afspraak met Richard. Op een gegeven moment was Richard weggegaan om zijn broer op te halen. Susan was aan de telefoon geweest en had gezegd: 'Je zei dat je ervoor zou zorgen.'

Diezelfde dag had Paula gedacht dat er iemand in hun huis geweest was omdat de garagedeur open stond. Maar de band was niet meegenomen. Als iemand naar binnen was gegaan, zou hij de band gevonden hebben. Hoewel... er zat geen etiket op.

In ieder geval was het niet Susan geweest. Het moest dus degene zijn met wie Susan had gebeld.

Dave. Susan wilde natuurlijk voorkomen dat Bob de band onder ogen zou krijgen. Had Dave aan Susan beloofd 'ervoor te zorgen'?

Susan kon ook gemakkelijk Paula's rugzak nagezocht hebben. De dag dat Paula op Jenny had zitten wachten, hier in dit lokaal, was Susan onverwachts verschenen om haar excuses aan te bieden voor haar gedrag in het kantoor. En ze had naar Paula's rugzak gestaard. Naar de scheur? Of om te kijken of Alans band erin zat?

Het klopte allemaal.

Behalve Dave misschien. Zou Dave echt iemand aanvallen, alleen om een videoband voor Susan te stelen?

Paula plantte haar ellebogen op de tafel voor de tv en staarde voorover gebogen naar het scherm. Het beeld was nog steeds bevroren bij de opname van Susan en Dave, elkaar kussend op de heuvel in het park.

Paula zuchtte diep en dacht na.

Hoe wist Susan eigenlijk dat Dave en zij op de film stonden? Zou Alan het haar verteld hebben?

Paula knikte peinzend. Echt wat voor Alan om zoiets te vertellen. Niet om gemeen te zijn, maar om Susan te dwingen voor de waarheid uit te komen. Zo was Alan, vreselijk recht door zee. De meeste mensen stelden dat wel op prijs, maar Susan deze keer waarschijnlijk niet. Niet als ze het verborgen wilde houden voor Bob tenminste.

Maar Alan was een vriend van haar. Susan had hem vast om de band gevraagd of hem verzocht dat deel te wissen. En Alan zou daar waarschijnlijk wel in toestemmen. Maar toen was hij verongelukt en de band was bij Paula terecht gekomen. En Susan was in paniek geraakt.

Paula zuchtte weer, niet wetend of ze gelijk had of niet.

Het werd tijd om te kijken of er nog iets anders op de band stond.

Paula reikte naar de knoppen. Op hetzelfde ogenblik bleef ze doodstil zitten. Ze hoorde iets. Deze keer was ze er zeker van.

Niet het piepen van de deur. Paula bukte zich en zag dat de deur dicht was.

Toch hoorde ze iets. Een klik, net alsof een van de machines aan of uit werd gezet.

Paula besloot gewoon te doen. Ze riep. „Hé, is daar iemand?”

Het kon iedereen zijn, dacht ze. Het kon de jongen zijn, die een half uur geleden met haar had staan praten. Het kon de conciërge zijn. Ze riep weer.

Er kwam geen antwoord.

Maar Paula wist zeker dat ze iets gehoord had.

Zachtjes stond ze op en liep achter de kast langs. Ze liet haar blik door het lokaal dwalen.

Niemand te zien.

Ze deed de piepende deur open en keek in de gang.

Ook niemand.

Opeens viel haar oog op de grote kast, waar ze de band gevonden had. Daar kon iemand zich gemakkelijk in verstoppen.

Met ingehouden adem en bonzend hart liep Paula zachtjes naar de kast, klaar om weg te rennen zodra ze iemand zag. Maar ze hoefde niet weg te rennen.

Het licht in de kast was aan en er zat niemand in.

Paula liet haar adem ontsnappen en merkte dat haar knieën knikten. Misschien was het beter om er voor vandaag mee te stoppen.

Toen ze op het punt stond naar de tafel terug te gaan, schoot haar iets te binnen: de kopie. Jenny's moeder had haar verteld dat Jenny een kopie van de band gemaakt had en dat ze allebei veilig waren.

De kopie moest dus nog in de kast liggen. Die had waarschijnlijk naast het origineel gelegen.

Zichzelf moed insprekend, liep Paula de kast in en keek. Ze herinnerde zich nog waar ze het origineel gevonden had. Daar vlak naast lag een andere band, zonder etiket. Ze hadden allebei op de hoogste plank gelegen, waarschijnlijk om te voorkomen dat iemand de banden zou pakken en er per ongeluk iets anders overheen zou opnemen.

Paula reikte omhoog. Ze moest op haar tenen staan en strekte haar arm. Zo stond ze toen ze het geluid hoorde.

Niet een klik deze keer. Meer een schrapend geluid.

Paula hapte naar adem en wilde zich omdraaien. Maar ze verloor haar evenwicht en kon zich niet zo snel bewegen als ze zou willen.

Plotseling hoorde ze een zoevend geluid. En de zware, metalen deur van de kast viel langzaam achter haar dicht.

„Hé!" Paula had haar evenwicht hervonden en greep de deurkruk aan de binnenkant vast. Hij draaide niet. „Hé!" gilde ze opnieuw. Ze sloeg met haar hand op de deur. „Laat me eruit!"

In eerste instantie dacht ze nog dat iemand per ongeluk de deur achter haar dicht geslagen had. Maar langzaam drong de waarheid tot haar door.

„Hé!" Ze sloeg wild met haar vuisten op de deur.

Geen antwoord, geen haastig opengerukte deur, geen rood aangelopen medeleerling, die zijn excuses aanbood.

Stilte.

Paula spitste haar oren. Toch geen stilte. Ze hoorde een beweging. Haastige, lichte voetstappen bewogen zich door het lokaal. De onbekende had waarschijnlijk sportschoenen aan. Wat haar nog niets wijzer maakte.

Paula drukte haar oor tegen de deur en luisterde.

De voetstappen hielden op, tenminste dat dacht ze. Ze hoorde even niets.

Opeens, heel zwak, een klik.

Natuurlijk. De band die uit de videorecorder werd gehaald. Paula kon bijna zien hoe Alans band uit het apparaat in een wachtende hand gleed.

Maar van wie was die hand?

Weer voetstappen, vlugger deze keer. Hij of zij vertrok. Liep gewoon weg. Dit was veel eenvoudiger dan iemand op straat beroven.

Paula bonsde weer op de deur, terwijl een golf van woede haar overspoelde.

„Hé, idioot, hoor je me niet bonzen? Iemand anders zal het straks ook horen, weet je. Je kunt maar beter opschieten, anders word je nog betrapt. Ga maar gauw!" schreeuwde ze. „Rennen, griezel!"

Hijgend leunde Paula tegen de deur en luisterde. Geen rennende voetstappen. Dat had ze ook niet verwacht.

De dader was vast al verdwenen. Ze had waarschijnlijk tegen een lege ruimte geschreeuwd.

Onverwachts ging het licht in de kast uit.

Vrijwel meteen daarna hoorde Paula gepiep. Ze wist wat het was. De deur van het lokaal werd gesloten. Ze kon de vertrekkende voetstappen in de gang niet horen, maar volgde ze in gedachten: door de gang, de bocht om, nog twee gangen door en naar buiten.

Als Paula er achteraan had kunnen gaan, had ze gezien dat ze gelijk had. Met de band veilig in de zak van een jack, liep haar 'belager' weg, gehaast, maar niet zo haastig dat het anderen opviel.

Weg van het lokaal, door de gang langs het gymnastieklokaal, door een andere gang, de buitenlucht in.

Het was november en het werd koud. Als Paula erbij geweest was, had ze de adem van haar belager als wolkjes de lucht in zien gaan. Het werd al donker, maar het was nog niet zo donker als in de kast.

Als Paula erbij was geweest, had ze de dader grijnzend weg kunnen zien lopen in de novemberkou.

Maar Paula was er niet bij. Ze zat in de kast opgesloten, in haar eentje. In het donker.

Nadat ze een paar tellen met haar oor tegen de deur

had geluisterd, probeerde Paula de deurkruk weer. Tijdverspilling. De deur had zich niet op wonderbaarlijke manier ontsloten.

Wanhopig sloeg ze op de deur, waarna ze er uitgeput tegenaan leunde.

Licht. Een beetje licht zou al helpen. Paula liet beide handen tastend langs de muur naast de deur glijden, op zoek naar een lichtknopje. De muur in de kast was van ruwe, geverfde steen en ze haalde haar vingers open. Er was trouwens niet veel kale muur. De planken besloegen alle vier de muren en lieten alleen aan weerskanten van de deur een rand vrij.

En langs die randen kon Paula geen schakelaar vinden. Ze liet haar hand zo ver ze kon achter de planken glijden. Niets.

Misschien een schakelaar aan het plafond met een koord eraan. Ze ging op haar tenen staan en bewoog haar hand in cirkels boven haar hoofd. Deed een stap vooruit en probeerde het nog eens. Geen koord.

De enige schakelaar zat in het lokaal en daar kon Paula niet bij.

Zouden alle lichten uit zijn? Ze drukte haar hoofd tegen de rand van de deur en probeerde te zien of er licht door de kier kwam. Maar de kast was hermetisch afgesloten.

Paula ging op haar knieën liggen en keek of ze een lichtstreep onder de deur door zag vallen. Het bleef donker.

Licht was niet het belangrijkste, hield ze zichzelf voor. Eruit komen... dat telde.

Maar de deur van het lokaal zat dicht, de deur van

de kast was op slot en alle lichten waren uit. Ze zat opgesloten.

Voor hoe lang?

Als ze rond etenstijd niet thuis was en geen boodschap had achtergelaten, zouden haar ouders zich zorgen gaan maken. Dan zouden ze wat telefoontjes plegen om uit te vinden waar ze was. Ze zouden Jenny bellen, maar die was niet thuis. Ze zouden nog een paar klasgenoten proberen, maar niemand had Paula hier naar binnen zien gaan.

Zouden ze dan de politie bellen? Of misschien iemand van school, haar mentor bijvoorbeeld? Paula slaakte een zucht van opluchting. Op z'n laatst zou ze morgenochtend gevonden worden.

Op hetzelfde moment miste haar hart een slag. Morgen was er geen school. De leraren hadden de een of andere bijeenkomst, ergens in een andere stad met leraren van andere scholen. Die bijeenkomst zou de hele dag duren. Paula had er niet meer aan gedacht.

Maar haar ouders zouden toch vanavond nog wel bellen om haar te zoeken? Ze hadden die ochtend gezegd dat ze allebei pas laat thuis zouden zijn. Haar vader was op reis voor zijn werk en haar moeder zou naar de stad gaan met een vriendin en daarna naar de film. Ze zouden niet voor een uur of tien thuis zijn.

Maar dan zouden ze zeker alarm slaan, dacht Paula.

Het kon allemaal wat langer gaan duren, maar ze zou uiteindelijk echt wel gevonden worden.

Oké. Ze moest dus de nacht en misschien een deel

van de ochtend in de kast door zien te komen.

Paula liet zich met haar rug langs de deur glijden tot ze op de grond zat. Ze sloeg haar armen om haar knieën.

Als het maar niet zo donker was. Ze kon zelfs de planken in het duister niet onderscheiden. Het was trouwens ook koud en een beetje benauwd. Gebrek aan frisse lucht.

Geschrokken duwde Paula zich weer omhoog tot ze rechtop stond. Opeens herinnerde ze zich dat Jenny haar had verteld dat de kast zo luchtdicht mogelijk gemaakt was om vocht en stof te weren. Paula herinnerde zich ook dat ze er zelf om gelachen had en haar vriendin ermee had geplaagd dat videofanaten hun banden als juwelen behandelden. Het was nu niet grappig meer.

De kast was toch niet volledig luchtdicht? Of wel?

Met uitgestoken handen liep ze naar voren tot ze de planken tegen de achterwand raakte. Daarna liep ze achteruit met haar armen opzij. Haar vingertoppen raakten net de planken van de zijmuren.

Ze schatte dat de kast ongeveer twee bij twee meter vijftig was. Zoiets als een cel, dacht ze met een huivering. Hoe lang hield een mens het uit in een dergelijke ruimte zonder verse zuurstof?

Hoe meer ze aan zuurstof dacht, hoe benauwder Paula het kreeg. Ondanks de kou in de kast stond het zweet op haar voorhoofd. Ze draaide zich om en hamerde met haar vuisten op de deur. Zelfs toen ze hoorde dat haar ademhaling steeds stotender ging en ze wist dat ze kostbare zuurstof verbruikte, bleef ze hameren. In haar achterhoofd besefte ze dat het zinloos was, maar ze kon zichzelf niet inhouden. Het was pas... hoe laat? Een uur of vijf, half zes? Ze kon het basketballen in de gymzaal horen, het kon nog wel even doorgaan. Als ze hard genoeg bonkte, zou iemand haar misschien horen.

Ze kon ook schreeuwen. Dat had ze eerder moeten doen. Met schreeuwen verbruikte ze toch niet zoveel zuurstof, of wel?

Paula opende haar mond en gilde zo hard ze kon. Een keer, twee keer, drie keer, tot ze buiten adem raakte. Ze was nu bijna in tranen en leunde met haar hoofd tegen de deur. Ze probeerde haar ademhaling weer onder controle te krijgen. Ze ademde te snel, verbruikte te veel zuurstof. Ze moest ermee ophouden.

Haar ademhaling was het enige geluid dat ze hoorde in de donkere, verstikkende ruimte. In en uit. Eerst luid, maar langzamerhand rustiger tot ze ten slotte weer normaal ademde.

Op dat moment hoorde Paula in de stille duisternis een ander geluid.

Zachtjes piepen. Iemand had de deur van het lokaal opengedaan.

HOOFDSTUK 15

Paula's eerste impuls was om te schreeuwen, maar iets hield haar tegen. Was haar aanvaller teruggekomen? Had de dader zich gerealiseerd dat Jenny een kopie van de band had gemaakt en was hij nu terug gekomen om die te halen?

Maar die bewuste persoon zou vast niet gezien willen worden en niet terugkomen als hij wist dat Paula nog in de kast zat. Bovendien wilde ze eruit. Ze zou het risico nemen. Ze moest wel.

„Hé!" gilde Paula, terwijl ze weer op de deur begon te bonzen. „Hé, laat me eruit! Hallo!"

Als in een droom ging het licht aan.

Iemand zei iets. Het klonk gedempt.

Paula hield op met bonzen en leunde met haar oor tegen de deur. Snelle voetstappen kwamen naar de kast.

Even later hoorde ze het geluid van een sleutel die in een slot werd omgedraaid. De kruk bewoog en de deur zwaaide open. Daar stond Richard.

Paula haalde diep adem en vloog de kast uit.

„Ik dacht al dat ik je stem herkende," zei Richard, toen Paula haar gezicht naar hem toe keerde. „Wat is er gebeurd? Hoe ben je in die kast verzeild geraakt? Is alles goed met je?"

Paula hoorde zijn vragen nauwelijks. Haar hoofd tolde. Wat deed Richard hier? Hij kwam nooit in het videolokaal. Waarom wandelde hij toevallig op dit moment binnen? Hij had een baantje. Waarom was hij niet op zijn werk?

„Paula?" drong Richard aan. „Wat is er aan de hand?"

Paula streek haar haren uit haar gezicht en veegde haar voorhoofd af. Haar hand was smoezelig. „De kast is toch niet zo stofvrij als ze zeggen," mompelde ze.

Richard stond nog steeds naar haar te kijken, verbijsterd en enigszins geërgerd. „Hé Paula, kom op," zei hij. „Ik kom hier binnen en ik hoor je schreeuwen. Waarom wil je me niet vertellen wat er gebeurd is?"

Was hij een goede toneelspeler? vroeg Paula zich af. Of kon ze hem vertrouwen? Nee, ze kon hem niet vertrouwen, besloot ze. Richard kon de dader zijn.

„Ik..." Paula schraapte haar keel en probeerde te lachen. Het klonk meer als gekraak, dus probeerde ze het nog eens. „Je zult het niet geloven," stotterde ze. „Jenny vroeg me of ik een band voor haar weg wilde leggen en toen ik in de kast stond, viel de deur achter me in het slot."

Ze zweeg even toen ze aan de deur dacht. Hij had wijdopen gestaan toen ze naar binnen was gegaan. De dader moest zich al die tijd achter de deur verborgen hebben gehouden. Stond ze nu oog in oog met hem?

Richard pakte de deur van de kast en trok hem verder open. Toen hij hem losliet, bleef de deur staan. Met samengeknepen ogen keek hij naar Paula. „Weet je zeker dat het zo gebeurd is?"

„Ja natuurlijk, ik bedoel, nee! Hoe kan ik dat zeker

weten?" Paula's stem schoot uit. Wat verwachtte Richard nou? Dat ze hem op de man af zou vragen of hij de dader was? „Ik weet alleen dat de deur achter me dicht ging. Misschien was de knop al omgedraaid of zo, maar ik kon er in ieder geval niet meer uit."

Richard keek opnieuw naar de deur en controleerde het slot. Hij draaide zich fronsend om naar Paula. „Waarom kijk je zo raar naar me?"

Paula voelde dat ze een kleur kreeg. Ze knipperde een paar keer en keek vlug een andere kant uit. „Dat deed ik niet. Dat was niet de bedoeling." Ze probeerde weer te lachen. „Ik ben dolblij dat ik er weer uit ben, nog bedankt. Wat doe je hier eigenlijk?" vroeg ze. Ze hoopte dat het niet al te achterdochtig klonk.

Richard haalde zijn schouders op. „Ik wilde met je praten," zei hij.

Onwillekeurig deed Paula een stap achteruit. Om zich een houding te geven, liep ze om de kast heen naar de tafel waar ze de band bekeken had. „O?" zei ze. „Waarover?"

Richard volgde haar, maar bleef onverwachts staan. Paula volgde zijn blik. Hij keek naar haar jack, dat over de stoel hing, en naar haar rugzak op de grond. Hij begreep natuurlijk meteen dat ze hier niet alleen was geweest om iets weg te leggen. Maar als hij degene was die haar had opgesloten, wist hij dat toch al.

Terwijl hij zijn blik weer op Paula vestigde, zei hij: „Ik wil iets persoonlijks met je bespreken."

Opeens was Paula bang dat hij haar zou vertellen wat hij gedaan had: haar gevolgd, haar huis binnengedrongen, haar kluisje doorzocht en Jenny aangevallen. Dat moest ze proberen te voorkomen. Want als hij het verteld had, wat ging hij dan met haar doen?

Vlug greep Paula haar jack en rugzak.

„Ik wil hier weg," mompelde ze. „Als ik nog denk aan die enge kast... Ik heb frisse lucht nodig."

Ze moest langs Richard om naar buiten te kunnen en ze hield daarbij haar adem in, bang dat hij haar arm zou grijpen.

Maar Richard verroerde zich niet en Paula rende bijna naar de deur.

„Paula!" riep hij haar achterna.

In de deuropening voelde Paula zich pas weer veilig. Ze draaide zich om en zei: „Als je met me wilde praten, had je me kunnen bellen. Vanaf je werk. Had je daar nu niet moeten zijn?"

„Ik heb gebeld," vertelde Richard. „Er was niemand thuis."

„Ik kom anders nooit in het videolokaal," zei Paula. „Dus hoe wist je dat ik hier was?"

Richard deed een stap in haar richting. Hij opende zijn mond om iets te zeggen, maar Paula bleef er niet op wachten. Ze wervelde door de deur en rende door de gangen naar buiten.

Ze voelde zich pas veilig toen ze thuis de voordeur achter zich dichttrok.

Vrijdag, geen school. Paula probeerde 's ochtends uit te slapen. Ze wilde vergeten wat er de vorige dag gebeurd was.

Ze wist nog steeds niet of Richard de dader was.

Maar waarom zou hij anders zo toevallig in het videolokaal zijn opgedoken? Goeie vraag, dacht ze. Hoe zou dat komen? Misschien wist Richard dat er een kopie was.

Hij had beweerd dat hij haar opgebeld had. Toen Paula de vorige dag buiten adem en half in paniek thuisgekomen was, had er een klik op het antwoordapparaat gestaan.

Het kon van Richard geweest zijn. Het kon van iedereen geweest zijn.

Paula wilde hem wel vertrouwen, maar ze durfde het niet. Ze kon niemand vertrouwen.

Toen ze zich in bed omdraaide, verjoeg ze Mickey, die als een zware last op haar voeten lag. Hij verhuisde naar het kussen en snorde bij haar oor. Zijn manier om te zeggen dat hij honger had.

Kreunend stond Paula uiteindelijk op. Ze nam een douche en ging naar de keuken. Terwijl de kat aan het eten was, ging ze aan tafel zitten en dronk nadenkend uit haar glas melk. Ze moest een besluit nemen.

Er was een goede kans dat de kopie van Alans band nog op school lag. Zelfs als Richard daarvoor teruggekomen was, had hij hem waarschijnlijk niet gevonden. Er lagen honderden banden in de kast en niet overal zat een etiket op.

Paula moest de band te pakken zien te krijgen en hem vernietigen. Dan was alles opgelost. Zij zou weer veilig zijn, niemand anders zou gewond raken, alles zou voorbij zijn.

Maar als ze dat deed, zou ze nooit weten waarom

iemand achter de band aan zat. En ze zou nooit weten wie.

Een uur later stond Paula met haar fiets bij de stalling op school. Er stonden maar drie andere fietsen. Maar er was altijd wel iets te doen op school, ook al waren er geen lessen. Die drie fietsen betekenden dat ze het gebouw in kon.

Toen ze voorbij de aula kwam, hoorde Paula iemand lachen. Ze gluurde naar binnen. Toneelrepetitie. Er was geen leraar, een paar leerlingen waren voor zichzelf bezig. Paula liep weer verder, haar voetstappen klonken hol in de lege gangen.

De deur van het videolokaal was dicht. Het was donker binnen. Paula knipte de lichten aan en deed de deur achter zich dicht. Hij piepte niet meer, merkte ze op. Nerveus liep ze door het lokaal en keek achter de kasten om zich ervan te overtuigen dat er niemand anders was. Ze wierp een angstige blik in de grote, donkere kast. Leeg.

Gerustgesteld liep Paula terug naar de deur van het lokaal en deed hem op slot. Er kon nu niemand binnenkomen en ze kon doen waarvoor ze gekomen was.

De kopie van Alans band lag nog steeds op de bovenste plank van de kast. Tenminste, Paula dacht dat dat de kopie was. Ze moest hem bekijken om er zeker van te zijn. Bij dezelfde tafel als waar ze de vorige dag gezeten had, zette Paula de apparaten aan en duwde de band in de videorecorder.

Het auto wassen verscheen op het scherm. Dit was

hem, de kopie waar niemand iets van afwist.

Paula reikte naar voren en zette de band stop. Nog heel even overwoog ze de band te vernietigen. Het zou erg gemakkelijk zijn om te doen. Maar er was te veel gebeurd in verband met deze band. Ze moest uitvinden waarom.

Ze drukte weer op afspelen en keek ingespannen naar het scherm.

De beelden waren intussen bekend, maar Paula bleef zoeken naar iets anders, iets wat ze daarvoor niet gezien had.

Niets. Niets zag er vreemd of misplaatst uit. Behalve het kwade gezicht van Richard.

En Susan in het park met Dave.

Als Richard gisteren maar niet zo plotseling opgedoken was, dacht Paula. Zomaar uit het niets, terwijl hij op zijn werk had moeten zijn. Als hij dat niet gedaan had, zou ze hem niet meer verdenken. Dan had ze Susan en Dave verdacht.

Maar er stond nog meer op de band.

Na Susan en Dave had Alan de camera gericht op een groepje kinderen, die met een frisbee gooiden. Jonge kinderen, geen bekenden voor Paula.

Daarna volgde een opname van Paula, die bladeren bij elkaar harkte. Het was op een andere dag, dacht Paula. Vlak voor Alans dood. Ze wist niet eens dat hij het had opgenomen. De camera zoomde in op Mickey, ineengedoken, klaar om op de dode bladeren te springen, die over het gras dwarrelden.

Een hoop sneeuw en golvende lijnen verschenen op het scherm en Paula dacht dat ze bij het eind van de film was gekomen. Ze wilde net het toestel uitzetten toen het scherm opeens weer helder werd en er een ander beeld verscheen.

Schemerig. Het licht was vaag en Paula zag eerst niet goed wat het was. Na enkele ogenblikken realiseerde ze zich dat het bomen waren. Weer een opname in het park?

Alan liep en de camera wiebelde erg, maar Paula kon takken en dicht kreupelhout onderscheiden. Het landschap was ruiger dan in het park.

De bomen maakten plaats voor een open ruimte en Paula herkende de plek waar Alan liep. Het was niet zo ver van hun huis, maar het leek een andere wereld. Het was een verwilderd stuk grond, waar veel bomen groeiden. Het Woeste Woud noemden ze het toen ze klein waren, en ze hadden er zo goed en zo kwaad als het ging, een weg gemaakt, een pad dat uiteindelijk uitkwam op de top van een heuvel.

Daar was Alan stil blijven staan, op de top van de heuvel. Hij had zijn camera waarschijnlijk meegenomen om het uitzicht te filmen. De heuvel keek uit op een slingerende weg, die bijna nooit meer gebruikt werd.

Maar nu maakte er wel iemand gebruik van. Dat wil zeggen iemand had hem gebruikt op de dag dat Alan er had gefilmd. Paula zag iemand langs het pad lopen. Zijn voetstappen veroorzaakten stofwolkjes.

De camera zoomde in. Het was niet zo'n geweldige close-up als bij de film, maar Paula kon zien dat de wandelaar een man was met een zwarte pet op, een bruin windjack en een spijkerbroek aan. Zijn hoofd was gebogen, zodat ze zijn gezicht niet kon zien. Hij liep langzaam, zocht bijna zwalkend zijn weg.

De camera bleef een poosje op de man gericht. Daarna gleed hij naar de verlaten weg en weer terug naar de man. Paula schoof ongeduldig op haar stoel heen en weer, het ging haar vervelen.

Misschien had het Alan ook verveeld, want de camera draaide, terug naar de bomen, waar hij begonnen was.

Maar onverwachts gleed het beeld terug naar de weg, langs de wandelende man, en verder.

De weg was niet meer verlaten. Er kwam een auto aan. Alan hield de camera erop gericht. Hij zoomde niet in. De camera wiebelde een beetje, maar niet zo erg dat de opname bedorven werd.

Het beeld was heel duidelijk. Het was ongeveer een maand geleden gebeurd, maar Paula had het gevoel alsof het nu plaatsvond. Veilig in het videolokaal, keek ze vol afgrijzen naar het scherm en zag waar Alan een paar dagen voor zijn dood getuige van was geweest en wat hij met zijn camera had vastgelegd.

HOOFDSTUK 16

De auto op het scherm maakte geen geluid, maar Alan had hem vast horen aankomen. Daarom had hij de camera waarschijnlijk weer op de weg gericht, dacht Paula.

Het gebeurde snel.

De man liep nog steeds en zwalkte naar het midden van de weg. De auto reed hard, te hard om nog af te remmen.

Ook al speelde het zich in stilte af voor Paula, toch hoorde ze bijna de gierende remmen, de doffe klap toen het spatbord de man raakte, de schreeuw toen hij door de lucht vloog en hard neerkwam in de berm van de weg. Ze kon bijna de panische ademhaling van de bestuurder horen en het geknars van het grind, toen de auto eindelijk slippend tot stilstand kwam.

Paula dacht dat het nu voorbij was. Ze verwachtte dat Alan zijn camera opzij had gegooid om de man te helpen en dat ze verder niets meer zou zien.

In plaats daarvan bleef de camera gericht op de scène daar beneden.

Waarom? Paula kon het niet geloven. Waarom was Alan niet naar beneden gerend om te helpen?

Even later had Paula haar antwoord.

De man aan de kant van de weg bewoog zich niet. Maar de auto wel. Paula zag hoe hij achteruit reed, keerde en wegspoot.

Nu werd het scherm blanco. Paula begreep dat Alan naar beneden was gegaan om de man te helpen, het slachtoffer van een aanrijding, waarbij de bestuurder doorgereden was.

Maar geen onbekende bestuurder. Want toen de auto achteruit reed, had Paula beter gekeken dan daarvoor. En ze had hem meteen herkend.

Terwijl hij wegreed, had ze een glimp opgevangen van het gezicht van de bestuurder. Een gezicht dat ze herkende.

Alan moest hem ook meteen herkend hebben. Paula kon Alans afgrijzen haast voelen, terwijl hij daar als aan de grond vastgenageld had gestaan met een draaiende camera, zwaarder dan ooit, een vriend filmend die doorreed na een aanrijding.

Een vriend die Robert heette.

Paula zette de apparatuur uit. Ze sloot haar ogen, maar de beelden bleven voor haar geestesoog doordraaien, de wandelaar, de snelheid van de blauwe auto, de grimmige trek op Roberts gezicht toen hij wegreed. Hij had strak voor zich uit gekeken, te gespannen om Alan op te merken, die boven op de heuvel stond.

De man was overleden, herinnerde Paula zich nu. Haar moeder had het in de krant gelezen en het haar verteld. Doorrijden na een dodelijk ongeluk veroorzaakt te hebben. De politie had geen aanwijzingen gehad. Er waren geen getuigen geweest.

Maar Alan had wel geweten wie de dader was en nu wist Paula het ook. Robert Owen, het studiehoofd, de jongen die alles kon en nooit faalde.

Robert moest in doodsangst gezeten hebben, dacht Paula. De aanrijding zou zijn leven bederven, ook al was het geen opzet geweest. Hij had waarschijnlijk gedacht dat het slim was om weg te rijden in de hoop dat niemand er ooit achter zou komen.

En dat zou ook niet gebeurd zijn als Alan er niet geweest was.

Maar Alan was er wel geweest en Paula besefte dat hij het Robert verteld moest hebben. Natuurlijk had Alan dat gedaan. Zo was hij.

Alan was een vriend van Robert geweest. Dus had hij hem verteld wat hij gezien en opgenomen had. Hij had waarschijnlijk gedacht dat Robert dan wel uit zichzelf naar de politie zou gaan.

Misschien zou dat ook gebeurd zijn als Alan nog geleefd had. Maar Alan was gestorven en Robert was veilig.

Behalve dat de band er nog was. Terugdenkend aan de nacht dat ze voor het eerst naar Alans spullen had gekeken, herinnerde Paula zich dat ze gemeend had een lichtje te zien in Alans huis.

Die nacht had ze gedacht dat het verbeelding was. Of een geest.

Maar nu wist ze beter. Het was Robert geweest, die de band had gezocht, die hem in de gevangenis zou doen belanden. Niet-wetend dat Paula daar stond te kijken.

Zodra hij erachter was gekomen dat zij hem had, was hij er achteraan gegaan. Gisteren was het hem eindelijk gelukt, nadat hij haar in de kast had opgesloten. Robert moest nu het gevoel hebben dat hij echt veilig was.

Maar Robert was nog steeds niet veilig, omdat

Paula een kopie had.

Paula steunde haar hoofd in haar handen en wenste dat ze de band vernietigd had in plaats van hem te bekijken. Nu ze het gezien had, kon ze niet doen alsof het niet gebeurd was. Ze moest iets doen, maar wat?

Ze kon het niet zomaar tegen Robert zeggen. Na alles wat hij gedaan had om de band te pakken te krijgen, durfde ze dat niet.

Haar ouders, dat zou het beste zijn. Ze moest naar huis gaan, op haar moeder wachten en haar alles vertellen. Haar moeder zou vast zeggen dat ze de politie moest bellen en Paula besefte dat ze dat uiteindelijk ook zou doen. Maar nu nog niet. Eerst wilde ze naar huis.

Met een zucht drukte Paula op de knop en de band gleed eruit. Ze staarde even naar de band in haar hand en wenste dat ze hem nooit gezien had.

Ze stond op, pakte haar jack van de stoelleuning en liep achter de kasten langs.

Ze gaf een gil.

Bij de deur stond Robert.

Hij zei niets. Hij verroerde zich niet. Hij stond daar maar en keek naar de band in Paula's hand.

Haar hart begon te bonzen en ze kreeg een droge keel. Hoe was Robert binnen gekomen? Ze had de deur op slot gedaan.

Het leek alsof Robert haar gedachten kon lezen. Hij stak zijn hand uit. Er lag een sleutel in. Eindelijk deed hij zijn mond open. „Als je een model-leerling bent, vertrouwen ze je zulke dingen toe," zei hij.

Doordat hij zijn hand uitstrekte, schoof zijn mouw een stukje terug. Paula zag de krabben op zijn arm. Ze zagen er rood en pijnlijk uit. De krabben die Jenny hem had toegebracht.

Robert had zich nog steeds niet bewogen.

Paula deed een stap naar achteren en botste tegen de kast achter zich. Ze hield haar ogen op Robert gericht, onzeker over wat hij zou doen.

„Kom op, Paula," zei hij. „Ik weet dat je de film gezien hebt. Ik kan het aan je gezicht zien. Je kunt net zo goed zeggen wat je denkt voordat je me de band geeft."

Paula keek hem angstig aan. „Hoe wist je dat ik hier was?" vroeg ze. „En hoe wist je dat er een kopie was?"

Robert zuchtte, alsof ze dat zelf wel kon bedenken. „Ik wist niet zeker dat er een kopie was," zei hij. „Maar ik ken Jenny. Ze maakt altijd overal kopieën van. Dus toen ik gisteren wegging, dacht ik nog eens na. Ik vroeg mezelf af wat jij in de kast deed."

Slim, dacht Paula.

Hij knikte ernstig en ging verder. „Vanmorgen was ik op weg naar de stad. Toen ik de school passeerde, zag ik jou naar binnen gaan, dus reed ik voorbij, wachtte een poos en kwam terug." Hij zuchtte weer. „Ik geloof dat ik iets te lang gewacht heb. Als ik eerder gekomen was, had je misschien niet gezien wat je nu hebt gezien."

Robert keek naar de kast. De deur stond wijdopen, net als de vorige dag. „Ik geloof niet dat zoiets een tweede keer werkt," zei hij flauw glimlachend.

Die glimlach joeg Paula angst aan en ze beet op haar lip om het niet uit te schreeuwen. Zo rustig mogelijk vroeg ze: „Wat is er daarna gebeurd?"

„Dat wilde ik net aan jou vragen," grinnikte Robert. „Wie heeft je bevrijd, de werkster?"

„Richard heeft me gevonden, maar dat bedoelde ik niet." Paula haalde diep adem. „Ik bedoel, wat gebeurde er die dag met je auto? Waarom stopte je niet toen je die man geraakt had?"

Robert schudde ongeduldig zijn hoofd. „Begrijp je dat niet?" vroeg hij. „Ik kan het me niet veroorloven een strafblad te hebben. Ik ben al bij een paar scholen wezen kijken. Ik hoef alleen nog maar te kiezen. Alles gaat geweldig en het wordt alleen nog maar beter. Maar niet als er zoiets tussen komt."

„Maar het was toch geen opzet!" zei Paula. „Ik heb de film toch gezien? Die man liep bijna midden op de weg!"

„En ik reed veel te hard," zei Robert. „Ik kon niet stoppen of opzij gaan, omdat ik te hard ging. Denk je niet dat de politie daarachter gekomen was? Ik was de enige auto op de weg en ik kon hem niet ontwijken! Ze zouden me meteen aangehouden hebben. Niet alleen voor te hard rijden."

„Dat kun je niet zeker weten."

„Nee," stemde Robert in. „En daarom besloot ik er vandoor te gaan. Omdat ik er niet zeker van kan zijn."

Paula wist niet wat ze moest zeggen.

„Hij was dood, Paula," zei Robert. „Ook als ik was gestopt, had ik hem niet kunnen helpen."

„Hoe weet je dat?"

„Dat vertelde Alan."

Paula staarde hem aan.

„Alan is naar beneden gegaan nadat ik weggereden was," vervolgde Robert. „De man was dood. Alan zei het."

„Maar hij zei ook nog iets anders, of niet soms? Hij vertelde dat hij het gefilmd had. Ik durf te wedden dat hij tegen je gezegd heeft dat je naar de politie moest gaan."

Robert zuchtte. „Het was veel erger, Paula."

„Wat bedoel je?" vroeg Paula. „Wat kon Alan anders zeggen? Ik kan me niet voorstellen dat hij je met zoiets zou plagen."

Robert schudde zijn hoofd, geërgerd dat ze het niet snapte. „Hij zei dat als ik niet naar de politie ging, hij zelf zou gaan."

Natuurlijk, dacht Paula. Alan zou het niet zomaar kunnen vergeten, zelfs niet voor een vriend. Arme Alan, dacht ze plotseling. Wat had hij een vreselijke beslissing moeten nemen.

„Dus zei je zeker tegen hem dat je zou gaan," knikte ze bitter. „Maar toen stierf Alan. Dat kwam goed uit, nietwaar? Je moet je fantastisch gevoeld hebben."

„Ik voelde me helemaal niet fantastisch," zei Robert zacht.

„O natuurlijk, ik vergat iets," zei Paula. „De band. Alan had alles gefilmd en jij moest die band te pakken zien te krijgen." Ze sprak snel en boos. „Dus brak je bij hem thuis in en toen je de band niet kon vinden, moet je flink in paniek geraakt zijn. Wat zou er gebeuren als zijn ouders hem gingen bekijken? En toen kwam ik en vertelde over de band, die ik van Alans moeder had gekregen. Vanaf dat moment had je het op mij voorzien: mijn huis, mijn kluisje, mijn rugzak, mijn vriendin!" Paula voelde dat ze steeds bozer werd. „Jenny had mijn regenjack aan. Daarom begreep ik dat de aanslag voor mij bedoeld was. Het ging niet echt om mij, maar om iets wat ik in mijn bezit had: de band. Dat was goed stom van je. Als je Jenny niet had aangevallen, zou ik er misschien nooit achter gekomen zijn!"

„Misschien niet. Maar dan zou jij de band nog hebben," herinnerde Robert haar.

Paula haalde nog eens diep adem. Ja, en ze had de band nog steeds, in haar hand. Ze verstevigde haar greep.

Robert keek ernaar. „Waarom geef je hem niet gewoon aan mij?"

„Omdat ik weet wat erop staat," antwoordde Paula.

„Nou en? Het is weken geleden gebeurd. De man is dood!" Roberts stem schoot uit. „Hij was trouwens dronken. Dat heb ik gelezen. Waarom denk je dat hij zo slingerde? Wat voor verschil maakt het nou?"

„Het is... ik weet het niet!' riep Paula. „Ik weet alleen dat het verschil maakt. Ik zou het nooit zomaar kunnen vergeten."

Geen van de twee had zich verroerd. Robert stond nog bij de deur van het lokaal. Paula stond bij de kast, haar rug er stijf tegenaan gedrukt.

Beiden zwegen ze een ogenblik.

Eindelijk doorbrak Robert de stilte. „Je bent net als Alan," zei hij zacht.

„Wat bedoel je?"

„Koppig. Jullie zijn allebei koppig."

„Koppigheid heeft hier niks mee te maken," protesteerde Paula.

„Goed. Zeikerig dan. Hoe klinkt dat?" vroeg Robert. „Ik smeekte Alan om de band, ik smeekte hem te zwijgen. En wat zei hij? 'O nee, dat kan ik niet doen! Het zou verkeerd zijn!' "

„Zo praatte Alan niet," zei Paula. „Maar hij had wel gelijk."

„Zie je nou wel?" Robert lachte bijna. „Zeikerig. Allebei."

Zijn glimlach verdween. „Het maakte me zo kwaad," zei hij. „Alan wist dat het mijn leven zou ruïneren en toch moest hij de brave burger spelen en mij vertellen wat ik moest doen. Woedend was ik," siste hij weer.

Paula slikte nerveus.

„Jij bent net zo, Paula," ging Robert verder, terwijl hij naar haar keek. „Ik had het wel verwacht, maar ik hoopte dat het niet zo zou zijn. Ik hoopte dat je het van mijn kant zou zien."

„Dat kan ik niet," fluisterde Paula.

„Dat is precies wat Alan zei." Roberts blik dwaalde even af, alsof hij Alan voor zich zag. Daarna richtten zijn ogen zich weer op Paula. „En kijk eens wat er met hem gebeurd is, Paula."

HOOFDSTUK 17

Even besefte Paula niet wat Robert zei. Maar opeens, alsof ze een stomp in haar maag kreeg, drong de betekenis tot Paula door.

Ze voelde dat Robert naar haar keek, haar gadesloeg, terwijl ze worstelde om woorden te vinden. Ze opende haar mond, sloot hem en schudde haar hoofd. Ze moest zich vergissen, dacht ze. Dat kon Robert nooit bedoeld hebben. Hij wilde haar alleen bang maken.

Paula tilde haar hoofd op en keek naar de andere kant van het lokaal. Robert stond nog steeds naar haar te kijken. Toen ze de blik in zijn ogen zag, wist Paula dat ze zich niet vergiste.

„Heb je hem vermoord?" fluisterde ze. „Heb je Alan vermoord?"

„Niet precies. Zo zou ik het niet willen stellen," zei Robert.

„Hoe zou je het dan willen stellen?" vroeg Paula op iets luidere toon. „Speel geen woordspelletjes, hoor je me? Zeg het gewoon!"

„Ik denk dat ik geen keus heb," zei Robert. „Het was niet mijn bedoeling dat je het te weten zou komen, maar nu het toch zo is, kan ik het je ook wel vertellen." Hij kruiste zijn armen over elkaar en leunde tegen de dichte deur alsof hij zich opmaakte voor een verteluurtje.

Paula bleef waar ze was. Ze voelde de scherpe randen van de kast tegen haar benen en rug, maar ze verroerde zich niet, zelfs niet om haar gewicht te verplaatsen. Als ze het snijden van de scherpe randen niet had gevoeld, zou ze gedacht hebben dat ze in een nachtmerrie beland was.

„Nou," Robert schraapte zijn keel, „Alan belde me op, de dag nadat... nadat het gebeurd was. Dat was een zondag."

Paula herinnerde het zich. Alan was op een zondag verongelukt. Er was 's maandags op school nergens anders over gesproken.

„Hij zei dat we iets te bespreken hadden," vervolgde Robert. „Hij vroeg of ik bij hem kon komen. Hij kon het niet over de telefoon zeggen. Hij klonk nogal gespannen, maar ik had nog geen idee waar het over ging. Ik was natuurlijk zelf ook behoorlijk gespannen en ik vroeg of het niet kon wachten. Hij zei van niet, het was te belangrijk."

Robert haalde zijn armen voor zijn borst weg en stak zijn handen in zijn zakken. „Dus ging ik naar hem toe en we zijn een stuk gaan lopen."

Op die hoge, afbrokkelende dam, dacht Paula met een huivering.

„Alan kwam er niet meteen mee," ging Robert verder. „Hij stelde eerst wat vragen, hoe het met me ging, waar ik mee bezig was, dat soort vragen. Ik denk dat hij me de kans wilde geven het te vertellen. Ik zei hem dat alles geweldig ging, maar toen had ik al door dat hij het wist."

„Dus zei je het tegen hem?" vroeg Paula.

Robert schudde zijn hoofd. „Nee. Ik bleef hopen dat als ik het goed speelde, hij ervan af zou zien en het stil zou houden. Maar dat deed hij dus niet. Ten slotte vertelde Alan het me."

Paula slikte moeizaam. „Wat gebeurde er toen?"

„Nou, we praatten erover," zei Robert. „Ik vertelde hem hoe het gebeurd was en hij zei: 'Laat maar,' want hij wist het al. Hij had het gezien. Hij had het zelfs gefilmd. Hij wist dat ik geen schuld had, zelfs al had ik te hard gereden."

„Zie je nou wel?" flapte Paula eruit. „Je kon er niets aan doen. Iedereen zou dat zeggen, zelfs de politie."

Robert negeerde haar. „Ik vertelde hem over mijn plannen, mijn carrière, mijn leven, al die dingen. Alan zei dat hij dat ook begreep. Hij bleef volhouden dat het goed zou komen." Hij vertrok zijn mond. „Even dacht ik zelfs dat hij aan mijn kant stond."

„Dat stond hij ook," wist Paula.

„O, natuurlijk," zei Robert sarcastisch. „Hij zei dat ik naar de politie moest gaan. Hij zei dat als ik niet ging, hij zou gaan. Noem je dat aan mijn kant staan?"

„Alan was je vriend," fluisterde Paula.

Roberts ogen dwaalden af. „Dat weet ik. Maar hij had ongelijk. Als het hem overkomen was, had hij wel anders gepraat."

Alan had geen ongelijk, dacht Paula. Maar ze ging er deze keer niet tegen in. Wat voor zin had het?

„Ik zei dat hij ongelijk had," zei Robert. „Ik gebruikte elk argument dat ik kon bedenken. Ik smeekte hem zelfs om niets te zeggen. Hij was echt overstuur. En ik ook. We schreeuwden tegen elkaar, maar er was niemand in de buurt. Niemand kon ons horen."

Paula slikte weer. Nu zou ze horen hoe Alan gestorven was.

„We schreeuwden tegen elkaar," zei Robert weer. „We zwaaiden met onze armen en riepen luid. Toen, ik weet niet precies hoe het begon, begonnen we tegen elkaar te duwen. We maakten ons op voor een vechtpartij. Hij gaf me een por, ik gaf een por terug." Hij hield op met praten.

„Verloor Alan zijn evenwicht?" fluisterde Paula. „Hij verloor zijn evenwicht en viel. Is het zo gebeurd?"

Robert knikte en haalde diep adem. „Het was een ongeluk!" fluisterde hij hees. „Als Alan hier was, zou hij hetzelfde zeggen. Het was een ongeluk!"

Dat zou hij vast gedaan hebben, dacht Paula bedroefd. Ze voelde zich vreselijk. Om Alan. Zelfs om Robert, die met twee vreselijke geheimen geleefd had.

Maar toen Paula weer naar hem opkeek, verdween haar medelijden. De geheimen waren nu onthuld. Zij kende ze allebei. Paula huiverde van angst.

Robert haalde zijn handen uit zijn zakken. „Ik heb er genoeg van," zei hij. „Genoeg van het piekeren en het gepraat." Hij stak een hand uit. „Waarom geef je de band niet gewoon aan mij, Paula?"

Paula's handen waren nat van het zweet, maar ze hield de band vast.

„Geef hem gewoon aan mij, dan komt alles goed," zei Robert, met zijn hand nog steeds uitgestoken.

Goed? dacht Paula. Net zo goed als met Alan? Ze kon Robert de band geven, maar wat dan? Hij zou haar niet vertrouwen. Hij had nu twee geheimen te verbergen. Hij had iemand gedood om één geheim veilig te stellen. Hij zou hetzelfde doen voor twee.

„Geef hem aan mij, Paula," herhaalde Robert.

„Ik..." Paula schudde haar hoofd. Ze keek de klas rond. Geen uitweg. „Ik kan het niet," fluisterde ze.

„Zo," zei Robert langzaam. „Nou, goed dan."

Heel even dacht Paula dat hij zich om zou draaien en weggaan.

Maar natuurlijk deed hij dat niet. In plaats daarvan zette hij zich af tegen de deur en kwam haar kant uit.

Paula wilde achteruit gaan, maar de kast versperde haar de weg. Ze gleed erlangs, het trillen van de planken voelend, tot ze bij de hoek kwam. Toen liep ze achteruit naar de tafel waar ze de band bekeken had. Ze durfde haar ogen niet van Robert af te wenden.

Hij kwam nog steeds haar kant uit. Niet snel, maar rustig. Hij stond nu recht voor de stellingkast.

Met de band stevig in haar hand schoot Paula naar voren en duwde tegen de kast, in een poging hem over Robert heen te laten vallen. Maar de kast was stevig en wankelde zelfs niet.

Terwijl Robert er omheen liep, rende Paula naar de andere kant. Ze rukte aan de kast. Er viel iets, een lege doos of zo, maar de kast bleef overeind.

Opeens gleed de band uit Paula's hand en viel op de grond.

Robert hoorde het en begon sneller te lopen.

Met bonzend hart schopte Paula tegen de band.

Die gleed over de grond en kwam onder een andere tafel terecht.

Robert mag hem hebben, dacht Paula. Ze rende naar de deur.

Maar Robert ging haar achterna. De band kon wachten. Eerst moest hij Paula tegenhouden.

Toen Paula hem achter zich hoorde, maakte ze een scherpe bocht en rende bij de deur vandaan. Ze wilde naar de andere kant van het lokaal gaan, maar de punt van haar schoen bleef achter een dikke kabel hangen en ze viel op handen en voeten.

Terwijl ze overeind krabbelde, voelde ze dat Robert zijn hand naar haar uitstak. Zijn vingers streken door haar haren. Ze gilde en draaide weg van hem. Ze deinsde achteruit naar de verste muur.

Hij was halverwege het lokaal en kwam weer haar kant uit.

Paula bewoog zich opzij met haar armen uitgestrekt langs de wand. Ze wilde schreeuwen, maar er kwam geen geluid over haar lippen en ze kon niet genoeg lucht krijgen.

Robert leek uiterst kalm. Zijn ademhaling was normaal. Tot Paula zijn ogen zag. Toen zag ze de wanhoop.

Nog steeds zijwaarts bewegend, tastte Paula met haar vingers over de muur in de hoop iets te vinden, wat dan ook, om naar zijn hoofd te gooien.

Eindelijk sloten haar vingers zich om iets ronds en glads. Ze waagde er een blik aan. Het was een statief voor een camera.

Paula deed er een graai naar en probeerde een

goed houvast te krijgen aan de poten. Het statief was zwaar en onhandig, maar als ze Robert er een klap mee kon geven, was hij misschien zo lang uitgeschakeld dat zij weg kon komen.

Toen Robert door had wat ze van plan was, begon hij sneller te lopen.

Paula deed een stap naar voren en zwaaide het statief als een honkbalknuppel achteruit. Opeens zwaaide ze hem, met alle kracht die ze bezat, vooruit en richtte op Roberts hoofd.

Het statief was te zwaar. Paula kon hem niet snel genoeg vooruit krijgen. Robert hoefde alleen maar weg te duiken en dat deed hij.

Maar terwijl hij dook, verloor hij zijn evenwicht. En Paula nam haar kans waar.

Ze liet het statief op de grond vallen, rende naar voren, zette haar handen plat op Roberts rug en duwde.

Hij struikelde en probeerde zich om te draaien. Paula duwde weer, met al haar kracht. Hard genoeg om hem door de wijd openstaande deur van de luchtdichte, brandwerende kast te duwen, waarin Robert haar de vorige dag had opgesloten.

Met een luide kreet greep Paula de deur en sloeg die achter hem dicht. Ze hoorde Robert tegen de planken in de kast vallen. Even later begon hij op de deur te bonzen. Maar toen had Paula die al op slot gedraaid.

Bevend van angst liep Paula bij de kast vandaan. Robert hamerde op de deur en schreeuwde haar naam, maar ze gaf geen antwoord. Ze pakte haar jack en raapte de videoband op.

Toen ze de deur naar de gang open deed, kon ze Robert nog horen bonzen. Heel even draaide ze zich om en keek naar de kast.

Vlak voor ze wegging, deed ze het licht uit.

HOOFDSTUK 18

Richard kwam om zeven uur bij Paula. Hij leek op zijn hoede te zijn. Geen wonder, vond Paula, toen ze bedacht hoe ze de vorige dag tegen hem gedaan had. Maar Richard slaagde erin een poosje beleefd met haar moeder te praten.

Ze gingen naar dezelfde snackbar als waar Richard haar eerder mee naartoe had genomen. Hij haalde iets te drinken voor hen, nam een slok uit zijn glas en zei: „Oké. Kom op met je verhaal."

Meer aanmoediging had Paula niet nodig. Ze vertelde Richard over de band en Robert. Wat hij met Alan had gedaan en waarom. Wat Robert allemaal had geprobeerd om de band te krijgen toen hij wist dat Paula hem had. Het enige dat ze wegliet, was het deel over Susan en Dave. Dat zou hun geheim blijven. En het hare.

„Toen ik Robert in de kast had achtergelaten..." Paula ging niet verder. „Hoe wist je gisteren trouwens dat ik daar was?" vroeg ze.

„Dat wist ik niet," antwoordde Richard. „Ik belde naar je huis, maar er werd niet opgenomen. Toen ben ik naar school gegaan. Niet om jou te zoeken maar omdat ik iets had laten liggen. Ik hoorde jou toen ik langs het videolokaal liep." Hij grinnikte. „Je gaf me geen kans om het uit te leggen."

Een simpele verklaring, dacht Paula opgelucht. „Nou, in ieder geval, toen ik Robert daar had achtergelaten, heb ik de politie gebeld," zei ze. „En daarna heb ik een paar uur op het buro doorgebracht. Ik was bang dat ze me niet zouden geloven, maar dat deden ze wel, zelfs voordat ik ze de band gaf. Ze hebben ook contact opgenomen met Alans ouders. Gelukkig maar, want ik moest er niet aan denken dat ik hun zou moeten vertellen hoe hun zoon precies is omgekomen! Ik heb Robert niet meer gezien," voegde ze eraan toe. „Daar ben ik blij om. Ik moest het wel doen, maar ik vond het vreselijk."

Richard knikte. In zijn grijze ogen las Paula begrip en medeleven.

Paula knipperde een paar tranen weg. „Toen ik thuis was en weer een beetje over de schok heen begon te komen, heb ik jou gebeld," zei ze. „Om het uit te leggen. Om mijn excuses aan te bieden, denk ik, omdat ik een poosje heb gedacht dat jij de dader kon zijn."

„Je hoeft je niet te verontschuldigen," zei Richard. „Ik snap wel dat je je twijfels over me had. Vooral na de manier waarop ik reageerde op de inbraak in je kluisje." Hij lachte een beetje triest. „Dat kwam door mijn broer," legde hij uit. „Hij ging een poosje met de verkeerde jongens om. Ik weet niet waarom. Frank is niet slecht, maar ik denk dat hij opstandig was en stoer wilde doen. In ieder geval, die groep jongens hield zich bezig met winkeldiefstal en ander gapwerk en ook het kraken van schoolkluizen. En toen vertelde je over jouw kluis. Ik dacht dat ze nu onze school als doelwit genomen hadden. En ik was bang dat Frank eraan meegedaan had," legde hij aan Paula uit.

Paula glimlachte. „Je zei dat hij een poosje met die

groep omging," zei ze. „Bedoel je dat het nu over is?"

„Ja, dat geloof ik wel," zei Richard. „Mijn moeder en ik hebben met hem gepraat. Ik denk dat het wel goed komt. Hij heeft niet echt meegedaan, hij hing er alleen wat bij rond. En ik geloof dat hij ze niet eens zo graag mocht."

Paula knikte en nam ook een paar slokken. „Nog één ding," zei ze. „Over de film van Alan..."

„Je wilt zeker weten waarom ik zo kwaad keek," zei Richard.

„Eh... eigenlijk wel, ja," mompelde Paula. „Ik heb je nog nooit zo woedend en gemeen zien kijken."

Richard begon te lachen.

„Het is niet grappig," zei Paula verontwaardigd. „Het maakte me bang."

„Dat was de bedoeling ook," antwoordde Richard. „Nou ja, niet om jou bang te maken. Het was voor mijn broer bedoeld. Ik had Alan over Frank verteld, hoe hij de boel liep te verpesten en zo. Alan zei dat ik hem eens hard moest aanpakken, hem bang maken, zodat hij zijn leven zou beteren. Ik zei dat ik dat niet kon. Hij vond dat ik moest oefenen."

„Oefenen?" vroeg Paula. „Je bedoelt 'repeteren' net als voor een toneelstuk?"

„Precies. Dus dat deed ik," zei Richard. „Alan en ik lagen in een deuk toen ik klaar was, maar dat stond er niet op."

„Ik had het je dus gewoon moeten vragen," zei Paula. „En, heeft het gewerkt? Bij je broer, bedoel ik."

„Ik heb het nooit geprobeerd," bekende Richard. „Mijn moeder en ik hebben gewoon met Frank gepraat, zoals ik al zei. Geen geschreeuw of iets dergelijks." Hij zweeg even. „Maar Alan wilde gewoon helpen. Ik wou dat ik hem kon vertellen dat het opgelost is."

Paula voelde weer tranen opkomen en concentreerde zich op het leegdrinken van haar glas. Toen ze de laatste drup doorslikte, keek ze op en zag Richard naar haar kijken. Hij grijnsde naar haar.

„Wat is er?" vroeg ze.

„Telt dit ook als een afspraakje?" wilde hij weten.

„Ik weet het eigenlijk niet," zei Paula verbaasd.

„Anders gaan we morgen al voor de derde keer uit," herinnerde hij haar. Hij boog zich naar haar toe en streek een lok van haar voorhoofd. „Ik hoop dat we nog heel wat keren uitgaan."

Paula greep zijn hand en hield die vast. „Ik ook," zei ze.